Annie Pietri vit en région parisienne.

Après avoir hésité à devenir médecin, elle obtient un diplôme d'orthophoniste et part vivre en Bourgogne, où elle devient... « animatrice de radio » !

De retour à Paris, elle exerce sa profession d'orthophoniste en libéral... C'est là, en lisant avec ses patients des livres de jeunesse, qu'elle rencontre l'écriture. En 1995, elle se lance, et publie avec succès des « livres-jeux » dont le lecteur est le héros. Son premier roman, *Les orangers de Versailles*, né de son immense passion pour le château de Versailles, remporte un vif succès auprès des lecteurs.

Aux Éditions Bayard, dans la collection Estampille :

Les orangers de Versailles, T. 1, 2000
Parfum de meurtre, T. 2, 2009
Pour le cœur du roi, 2010
L'espionne du Roi-Soleil, 2002
Le collier de rubis, 2003 (suite de *L'espionne du Roi-Soleil*)

Les miroirs du Palais
Le serment de Domenico, T. 1, 2007
L'allée de lumière, T. 2, 2008
http://www.anniepietri.com

Annie Pietri

L'espionne du Roi-Soleil

Estampille

bayard jeunesse

À Christophe.

Illustration de couverture : Nathalie Novi

© Bayard Éditions, 2009
© Bayard Éditions Jeunesse, 2002
18, rue Barbès, 92128 Montrouge Cedex
ISBN : 978 2 7470 0663 7
Dépôt légal : juin 2002
Quatorzième édition

Prologue

Paris, août 1678...

– Encore manqué! triompha Clémence en évitant de peu un deuxième pot de fard, qui alla se fracasser sur le grand miroir au-dessus de la cheminée. Maladroite comme tu l'es, tu ne serais même pas capable de remporter une poupée de chiffon à la foire!

– Pintade! siffla Alix en bondissant pour traverser le lit qui la séparait de Clémence. Si jamais je t'attrape!

Et elle se lança aussitôt à la poursuite de sa
sœur, qui courait déjà vers la porte de la chambre
en riant aux éclats.

— Qu'est-ce qui se passe, ici ? s'écria Léontine,
qui entra au même instant, arrêtant les jumelles
dans leur élan. C'est pas Dieu possible ! Toujours
à se battre !

En voyant la crème à l'huile d'amande douce
qui glissait lentement le long du miroir et s'étalait sur le marbre de la cheminée, au milieu des
brisures de porcelaine, la servante reprit en
levant les bras au ciel :

— Si c'est encore permis de voir ça ! À votre
âge ! Vous n'êtes pas plus raisonnables à quinze
ans que vous ne l'étiez à six ! Je vais être obligée d'en parler à Madame votre mère ! Et vous
pouvez être sûres que Monsieur le marquis sera
mis au courant de votre inconduite dès qu'il
reviendra de Hollande !

— Laisse notre père à ses armées, Léontine !
répondit Alix en toisant la jeune femme. Lorsqu'on est à la guerre aux côtés de Louis XIV,
on n'a que faire des querelles familiales !

— À son retour, il sera bien trop content de
revoir ses filles pour avoir envie de les punir,

renchérit Clémence. Et il nous aura rapporté une montagne de cadeaux dans ses malles!

– Pour l'heure, arrangez vos cheveux. Madame la marquise vous attend au petit salon. Dépêchez-vous!

Les deux sœurs échangèrent un regard complice et se plantèrent face à face de façon que chacune puisse rajuster les boucles brunes et les rubans de l'autre.

Quand elles entrèrent dans la pièce, la marquise était debout, face à un jeune militaire couvert de poussière, qui se tenait très droit, presque au garde-à-vous.

– Monsieur, je vous présente mes filles, Alix et Clémence. Et voici Louis-Étienne, annonçat-elle en désignant leur frère cadet, qui arrivait à son tour.

Alix comprit immédiatement que quelque chose de grave était arrivé. Le visage blême et la voix éteinte de sa mère ne lui avaient pas échappé.

– Approchez, mes enfants. La nouvelle que j'ai à vous apprendre est rude à entendre... Voilà une semaine, votre père a été tué devant la ville de Mons en combattant pour la gloire de notre roi.

Puis, se tournant de nouveau vers l'émissaire, elle reprit :

– Monsieur, auriez-vous l'obligeance de nous dire dans quelles circonstances ce malheur est arrivé ?

– À vos ordres, répondit-il en se redressant encore. Le 13 août 1678 restera dans toutes les mémoires, Madame ! Ce jour-là, le traité de paix entre la France et la Hollande a été signé. Mais ces revanchards de Hollandais, ne pouvant se résoudre à la défaite, ont relancé leur offensive. Un... un boulet de canon est tombé tout près de Monsieur le marquis de Maison-Dieu... Il a été désarçonné, et on l'a cru blessé. Mais il n'en était rien : seul son cœur avait faibli. Il faut dire que cette attaque ennemie était aussi violente qu'inattendue... Pensez donc, le jour de la signature ! Monsieur le marquis s'est éteint durant la nuit. Il a repris connaissance un court moment, et puis il a rendu son âme à Dieu... J'étais à son chevet en ce funeste instant, mais il ne m'a rien dit... rien. J'ai fait prévenir son frère, Monsieur le baron de Grenois, qui logeait à deux tentes de là. Il est accouru et m'a demandé de partir pour Paris sur-le-champ afin de vous l'apprendre...

Alix qui, contrairement à Clémence, était parvenue à contenir ses larmes durant ce long monologue, éclata elle aussi en sanglots. Seul Louis-Étienne réussit à faire bonne figure, comme l'exigeait la noble éducation qu'ils avaient tous reçue.

La marquise s'approcha des jumelles et leur dit à voix basse :

— Soyez courageuses, mes filles. Le chagrin, aussi profond soit-il, est une affaire privée. Regagnez vos chambres. Là, dans la solitude de votre alcôve, vous pourrez laisser couler vos larmes.

Elle congédia l'envoyé des armées du roi, puis se tourna vers son fils et le fixa un instant. Si Alix et Clémence devaient toujours lui rappeler le visage de son défunt mari, ce garçon lui ressemblait d'une manière étonnante. Comme elle, il avait les cheveux blonds, le visage rond, les yeux noisette et un curieux sourire qui découvrait des dents du bonheur. Il avait à peine treize ans, mais il était déjà grand et promettait d'avoir la carrure d'épaules qui convient à un militaire.

— Louis-Étienne, lui dit-elle, vous êtes désormais le nouveau marquis de Maison-Dieu, le chef de notre famille. Restez un peu avec moi. J'ai à vous parler...

À compter de ce jour tragique, la belle demeure des Maison-Dieu fut plongée dans la désolation. À chaque instant, à chaque pas, on ressentait l'atmosphère pesante et silencieuse d'une maison figée par la douleur d'une famille en grand deuil.

1

Deux ans plus tard, à Versailles...

Alix et Clémence se rapprochèrent l'une de l'autre et, heureuses, admirèrent ensemble le bel édifice de pierre blanche qui fermait sur trois côtés la cour pavée. En riant, elles essayèrent de deviner dans l'alignement des fenêtres du premier étage, lesquelles étaient celles de leur chambre.

Les domestiques et les journaliers, engagés pour le déménagement, se poussaient du coude en relevant discrètement le menton pour désigner les jumelles. Leur beauté et leur étonnante

ressemblance attiraient forcément les regards.
Grandes, minces, habillées à la dernière mode,
elles avaient les pommettes parsemées de petites
taches de rousseur, et le visage, à la fois doux
et volontaire, tout entier éclairé par un sourire
radieux et de magnifiques yeux bleus.

La voiture qui venait de laisser la marquise
et ses deux filles devant le perron fit demi-tour
et entreprit de se frayer un chemin jusqu'aux
écuries. La cour était encombrée de malles
énormes, d'une multitude de paniers d'osier fer-
més par un linge noué, de ballots enveloppés de
grosse toile, solidement maintenue par des
cordes et de nombreuses caisses de bois ébou-
riffées de paille. Une nuée de serviteurs courait
çà et là dans un brouhaha indescriptible au
milieu des charrettes qui venaient, l'une après
l'autre, déposer leur chargement.

– Tous les meubles sont arrivés hier, et ils
doivent être déjà installés, annonça Catherine
de Maison-Dieu. Entrons, mes enfants, que
je vous fasse les honneurs de votre nouvelle
demeure. Louis-Étienne est à son académie
d'escrime. Il nous rejoindra tout à l'heure.

– Je crois que je ne regretterai pas Paris!
s'exclama Alix.

– Moi non plus, affirma Clémence. Nous finissions par être un peu à l'étroit, rue Payenne !

Elles gravirent les marches de pierre et rejoignirent la marquise, qui les attendait à la porte du vestibule.

De surprise, elles restèrent toutes deux figées sur le pas de la porte.

Face à elles s'élevait le grand escalier, dont la balustrade de fer forgé n'avait pas été posée. Ainsi, pour atteindre le premier étage sans avoir le vertige, il leur faudrait monter les marches en longeant les murs.

– Mère, pourquoi ne sommes-nous pas restées à Paris jusqu'à la fin des travaux ? demanda Alix, médusée. Nous n'étions tout de même pas pressées de partir !

La marquise baissa les yeux : elle savait que le temps des explications était venu. Elle entraîna les jumelles à sa suite dans l'enfilade des pièces du rez-de-chaussée.

Alix n'en croyait pas ses yeux ! Certes, les meubles étaient en place, encore recouverts de draps ; mais les boiseries n'étaient pas peintes, et il n'y avait pas plus de tentures aux fenêtres que de miroirs au-dessus des cheminées. Ni lustres de cristal ni tapisseries ; et pour finir, le parquet n'avait pas été ciré, les vitres étaient sales et tout sentait la poussière.

Lorsqu'elles furent parvenues dans le grand salon, la marquise s'assit sur un fauteuil et prit la parole :

– Je suis passée ici, il y a deux mois environ, avoua-t-elle. Ce n'était encore qu'un immense chantier. J'ai demandé qu'on double les équipes d'ouvriers et qu'on travaille la nuit si cela était nécessaire. Mais, malgré cela, l'architecte a été formel : « Cette maison ne sera qu'en partie terminée le jour de votre arrivée. »

Catherine laissa échapper un long soupir et poursuivit d'un ton qui se voulait enjoué :

– Cela n'est rien ! Nous vivrons parmi les ouvriers pendant quelque temps, voilà tout !

– Le roi lui-même s'en accommode, s'exclama Alix, soucieuse de soulager sa mère, qu'elle sentait embarrassée. À Versailles, ses appartements sont envahis de menuisiers, de peintres et de plâtriers. Il vit entouré d'échafaudages, dans un vacarme épouvantable, sans parler des odeurs de vernis qui rendent, paraît-il, l'air irrespirable.

– Nous vivrons ainsi en l'hôtel de Maison-Dieu comme Louis XIV en son palais, à l'instar de ces courtisans zélés qui cherchent à plaire au roi en l'imitant dans tout ce qu'il fait! renchérit Clémence en plongeant dans une magnifique révérence.

Alix éclata de rire à la vue de sa sœur qui singeait les dames de la cour.

La marquise sourit et serra ses filles contre elle. Elles avaient compris son désarroi, et elle leur en était reconnaissante. D'un geste gracieux, elle les invita à s'asseoir à côté d'elle.

Durant quelques instants, le silence régna dans la pièce, à peine troublé par le bruissement de l'étoffe des robes et la rumeur qui filtrait du dehors.

Catherine laissa courir son regard sur les meubles drapés de blanc, qui l'entouraient tels des fantômes. « L'endroit n'est guère propice aux confidences... », pensa-t-elle avant de commencer son récit :

– Vous n'ignorez pas que le marquis a décidé la construction de cette maison il y a trois ans, quand le roi avait annoncé que le petit château de son père deviendrait un jour sa résidence principale et le siège du gouvernement de son royaume. Avant de partir pour la campagne de Hollande, votre père avait rédigé son testament.

Sage précaution ou mauvais présage? nous ne le saurons jamais. Il y désignait son frère Henri-Jules comme tuteur de Louis-Étienne jusqu'à l'âge de quinze ans et le chargeait de m'aider à gérer la fortune familiale. Il lui demandait aussi d'achever la construction de ce nouvel hôtel versaillais. Dès cet instant, votre oncle, qui devait seulement m'apporter son aide, a toujours décidé pour tout. Parfois même sans me consulter. Je n'étais plus maîtresse chez moi!

– Est-ce à cause de cela que vous vouliez fuir au plus vite la rue Payenne et vous installer ici? demanda Clémence.

– La vérité est que depuis la mort de votre père, le baron m'importune avec ses visites inopinées et me poursuit de ses incessantes demandes en mariage.

À ces mots Alix et Clémence sentirent leur cœur bondir. Elles échangèrent un regard inquiet. Déjà toutes petites, elles détestaient Henri-Jules...

– J'ai donc préféré lui laisser la demeure parisienne pour qu'il l'occupe avec son fils Léonard, reprit la marquise. Après tout, elle appartient aux Maison-Dieu depuis plusieurs générations. Mon idée était d'emménager le plus rapidement possible dans cet hôtel, bâti par la volonté de votre père. Je m'y sentirai enfin à l'aise, et cela mettra une bonne distance entre votre oncle et moi... Certes, il a poursuivi la construction de cette maison, comme le lui avait demandé son frère. Mais c'est un avare! Il n'a autorisé les dépenses qu'avec parcimonie, sinon les travaux seraient achevés depuis longtemps... En dix-neuf ans de mariage, votre père a eu la courtoisie de ne jamais entamer ma dot. Si le chantier a avancé ces deux derniers mois plus qu'au cours des deux années précédentes, c'est grâce à cet argent! Hélas! Nous allons devoir vivre dans l'inconfort le plus total pendant un certain temps. Si votre père voyait cela!

– Comment notre oncle a-t-il osé vous persécuter de la sorte? s'écria Alix, rouge de colère. Cet homme est un démon!

Dans la cour, un bruit de cavalcade se fit entendre. La jeune fille courut à la fenêtre, pensant que Louis-Étienne arrivait enfin. Mais elle fit volte-face et fixa tour à tour sa mère et sa sœur:

– Quand on parle du diable, siffla-t-elle, on en voit la queue fourchue!

Clémence se leva d'un bond et vint vérifier par elle-même en collant son nez au carreau.

– Mère, reprit Alix, permettez-nous d'aller visiter le reste du bâtiment. Je crois que ni l'une ni l'autre n'avons envie de rencontrer le baron.

2

Lorsque le baron entra dans le grand salon, Catherine de Maison-Dieu était seule.

– Mes hommages, Madame, susurra-t-il en se découvrant. Je suis absolument navré de voir dans quelles conditions vous allez devoir vivre... à cause de moi. Je ne vous remercierai jamais assez de m'avoir si aimablement abandonné l'hôtel de la rue Payenne.

– Il est vrai que vous m'avez, en quelque sorte, chassée de chez moi! Si au cours des deux dernières années vous aviez autorisé plus de dépenses pour les travaux, tout ici serait

achevé. Mais vous êtes un pingre! Vous vous
donnez d'ailleurs bien du mal pour épargner
un argent qui ne vous appartient pas, puisqu'il
s'agit du patrimoine de Louis-Étienne, votre
neveu!

Sans répondre, Henri-Jules posa son chapeau
sur un fauteuil et s'approcha de la fenêtre pour
regarder au-dehors.

La marquise posa son regard sur cet étrange
personnage, malheureusement si familier. Petit,
maigre et très droit, il était ce jour-là vêtu de
satin mauve et coiffé d'une perruque blonde.
Ce polichinelle hirsute au nez pointu se retourna
vers elle. Dans son visage long et étroit, poudré
à l'excès, luisait un regard noir et cruel. Une
fois de plus, elle le trouva répugnant... laid à
faire peur!

– Où sont vos filles? demanda-t-il.

– Elles sont allées à l'étage pour s'accoutu-
mer à la saleté des chambres où elles dormiront
ce soir par votre faute!

– Je vous trouve bien ingrate, Madame! Je
ne cherche qu'à préserver les intérêts de votre
fils! protesta le baron en fixant sa belle-sœur.
Un jeune homme de quatorze ans n'a pas

l'expérience nécessaire pour gérer une si grande fortune.

– Mon défunt mari vous avait demandé de m'aider. Pas de tout régenter.

[– Diriger une maison comme la vôtre est une trop grande responsabilité pour une femme!]

– Je vous rappelle, au cas où vous l'auriez oublié, qu'Anne d'Autriche a assuré la régence pendant la minorité du roi, son fils. Elle n'avait pas la charge d'une simple maison, mais d'un royaume entier!

– C'est vous qui n'avez guère de mémoire Madame, la reine mère n'a jamais réellement gouverné; c'est le cardinal Mazarin qui avait tous les pouvoirs. Mais revenons au sujet qui vous préoccupe. Si vous vouliez que je fasse plus de dépenses dans cette demeure, vous auriez dû procéder par ailleurs à quelques économies, je ne sais pas, moi... sur vos toilettes peut-être, ou celles de vos filles. Ou bien encore renvoyer des domestiques! Léontine, cette femme arrogante, ou Jacques, par exemple...

– Pour ce qui est de nos robes, sachez, Monsieur, que nous avons un rang à tenir. Je suis marquise, ne l'oubliez jamais! Léontine a

vu naître mes enfants et les a élevés. Elle restera
ici! D'ailleurs, si elle est insolente, c'est seulement avec vous... Quant à Jacques, il était le
plus fidèle serviteur de mon mari. Moi vivante,
il ne quittera pas cette maison!

Agacée, Catherine de Maison-Dieu fit quelques pas en se tordant les mains. Elle ne se
doutait pas qu'à quelques mètres seulement, de
l'autre côté de la cloison, Alix se tenait cachée
dans le couloir de service. Poussée par la curiosité, elle avait inventé un prétexte pour laisser
sa sœur et Léontine au premier étage. Elle était
descendue à pas feutrés et s'était approchée de
la petite porte au travers de laquelle filtraient
des éclats de voix. De là, elle pouvait tout
entendre sans risquer d'être découverte...

– Permettez-moi d'ajouter, reprit la marquise,
que depuis la mort de mon mari Louis-Étienne
est le nouveau marquis de Maison-Dieu. Dans
trois mois, il fêtera ses quinze ans, l'âge fixé par
son père dans le testament, et il sera le maître.
J'attends ce moment avec impatience, car alors
vous ne serez plus rien! Et vous pouvez compter
sur moi pour lui dire à quel point vous avez
envahi notre maison et régenté notre vie. Sans
parler de cette obsession à vouloir m'épouser!

– Justement, Madame, j'allais vous en parler, enchaîna Henri-Jules d'une voix onctueuse. Votre décision est-elle prise? M'épouserez-vous?

Dans sa cachette, Alix serra les poings. «Quelle insolence!» pensa-t-elle.

– Combien de fois faudra-t-il vous le dire? Je ne me remarierai jamais!

Le baron, qui depuis deux ans tentait de se montrer sous son meilleur jour, céda à un accès de fureur. Son visage devint cramoisi, et il fit mine de se jeter sur sa belle-sœur. Épouvantée, celle-ci recula autant qu'elle put; mais elle se retrouva bien vite dos au mur.

– Vous m'épouserez, Madame, entendez-vous! hurla-t-il, sa face en lame de couteau à quelques centimètres seulement du beau visage de la marquise. Que vous le vouliez ou non, la raison fera que vous m'épouserez!

– Jamais! Tous vos efforts pour m'amadouer ont été vains! Votre personne ne m'a jamais inspiré que du mépris et du dégoût!

La bouche du baron se tordit en un sourire crispé:

– Je sais très bien que vous ne m'aimez pas. Cependant, à votre avis, est-il vraiment nécessaire d'être amoureux pour se marier? Soyez raisonnable, ma chère, un esprit romantique conviendrait mal à votre âge avancé!

– Je reconnais là votre délicatesse coutumière! répliqua la marquise sèchement, froissée par cette allusion à ses trente-neuf ans. C'est uniquement par intérêt que vous voulez m'épouser, Monsieur. Dieu me garde d'être un jour la femme d'un homme tel que vous! Je doute fort que votre épouse, cette pauvre Louise-Marie, ait été heureuse à vos côtés! D'ailleurs, n'est-elle pas morte dans des circonstances qui restent à éclaircir...

– Je ne vous permets pas! s'emporta Henri-Jules en tapant du pied.

Catherine comprit qu'elle venait de marquer un point, et elle en ressentit une certaine fierté.

– À propos, reprit-elle, plus sûre d'elle, que devient votre fils cadet? Ce petit Antonin que personne n'a jamais vu dans la famille. Quel âge a-t-il aujourd'hui? Il était bien jeune lorsque sa mère a disparu...

– Antonin va bien, Madame! tonna le baron. Il vit toujours chez la comtesse de Saint-Hymer, sa grand-mère maternelle. Avez-vous d'autres questions à me poser? Sur Léonard, par exemple? Mon fils aîné ne vous intéresse-t-il pas?

– Non, il vous ressemble trop! lâcha la marquise. Quant à Antonin, vous avez raison, il valait mieux pour lui qu'il reste auprès de son aïeule. Elle aura su se montrer douce et aimante... des sentiments qui vous sont probablement étrangers.

– Il suffit! Vous m'insultez, et vous vous mêlez de ce qui ne vous regarde pas!

– C'est un compliment que je vous retournerais volontiers! Voilà maintenant deux ans que vous me persécutez et que vous vous occupez de mes affaires contre ma volonté!

Comme s'il venait de prendre conscience qu'il n'obtiendrait jamais rien d'une femme aussi déterminée, le baron arracha furieusement sa perruque et la jeta par terre en hurlant:

– Vous m'épouserez, Madame, ou je vous briserai! Vous et toute votre famille! J'irai trouver le roi s'il le faut!

Dans le couloir de service, Alix, horrifiée, eut beaucoup de mal à retenir un cri.

– De plus, continua-t-il, suffoquant de rage, à partir d'aujourd'hui, je ne signerai plus aucune facture pour payer vos entrepreneurs! Puisque vous dites à qui veut l'entendre que le marquis a su épargner votre dot, vous n'aurez qu'à utiliser cette manne providentielle pour achever l'aménagement de votre nouvelle demeure!

La marquise, immobile, ne semblait plus l'entendre. Comme hypnotisée, elle fixait avec dégoût le crâne du baron, où un rare duvet gris collait à la peau moite, marbrée de veinules et tachée de plaques brunes.

Puis, très calmement, elle poussa du pied la touffe de boucles jaunâtres qui s'étalait sur le sol:

– Remettez vos cheveux, monsieur, vous êtes ridicule!

Vexé et ivre de colère, Henri-Jules récupéra sa perruque. Avant qu'il n'eût le temps de dire un seul mot, sa belle-sœur, qui avait recouvré ses esprits, lui désigna la porte d'un geste autoritaire et siffla entre ses dents serrées:

– Et sortez de chez moi!

3

Les travaux d'aménagement entrepris aux frais de la marquise avaient commencé dès le lendemain.

Deux mois plus tard, ils étaient en grande partie terminés.

Dans la chambre d'Alix et Clémence, les volets intérieurs à peine clos laissaient entrer une belle lumière dorée qui filtrait à travers les rideaux de satin azur. La pièce était plongée dans la demi-pénombre. La maison était calme, comme engourdie par la chaleur. Seules quelques mouches, qui tournaient autour d'un grand lustre de cristal, brisaient le silence de leur mince bourdonnement.

Alix, vêtue d'une longue chemise de fin coton blanc, s'étira et roula sur son lit à la recherche d'un coin de drap frais.

— Je ne me souviens pas d'un mois d'août aussi étouffant, dit-elle à l'intention de sa sœur, qui se reposait sur le lit voisin. Est-ce que tu dors?

— Non. Je songe à un projet qui me tient à cœur.

— Me diras-tu lequel?

— J'ai pris la résolution d'entrer au couvent.

Alix se leva d'un bond. En une seconde, elle se retrouva assise au pied du lit de sa sœur. Ses grands yeux traduisaient à la fois la surprise et la colère. Son visage avait pâli, rendant ses taches de rousseur encore plus visibles qu'à l'accoutumée.

— Es-tu folle? Tu veux donc que nous soyons séparées pour la vie entière? Crois-tu que je pourrai le supporter?

Clémence était allongée, la tête calée sur ses oreillers, et contemplait en silence les longues boucles brunes de sa sœur en pensant qu'un jour elle devrait impitoyablement couper les siennes pour entrer dans la vie monacale.

– Vas-tu me répondre, à la fin ? s'impatienta Alix.

– C'est une décision que je mûris depuis que nous vivons ici, répondit Clémence le plus calmement du monde. Je ne peux pas tolérer que l'oncle Henri-Jules traite notre mère comme une incapable et, en plus, intervienne auprès du roi pour l'obliger à l'épouser ! J'ai la conviction de devoir consacrer ma vie à la prière pour la libérer de ce tyran. Elle et toute la famille ! Cet homme est l'être le plus malfaisant que je connaisse. Nous sommes loin d'en être débarrassés, crois-moi ! Il peut toujours solliciter une faveur royale ; moi, je prierai pour une intervention divine ! Nous verrons bien qui, de Dieu ou du roi, l'emportera !

– As-tu appris à lire l'avenir dans les cartes ou dans le marc de café pour faire de telles prédictions ? Et d'où te vient ce goût du sacrifice ? As-tu seulement pensé à mon chagrin de ne plus t'avoir près de moi ? À l'âge de six ans, nous nous sommes juré d'être inséparables parce que nous étions jumelles. Tu ne peux pas l'avoir oublié!

– Je m'en souviens très bien, murmura Clémence.

– Alors, tu manques à ta parole! Tu me trahis! s'emporta Alix.

– Je ne vois pas les choses comme toi. Nous serons séparées seulement physiquement. Cette absence rendra notre esprit plus fort. Je penserai toujours à toi, et nous nous écrirons souvent. Je serai la garante de notre amour fraternel et la gardienne de tous nos secrets. Toi, tu seras mon lien le plus cher avec le monde extérieur pour lequel j'ai tant de curiosité, et que je n'abandonnerai jamais tout à fait. Les couvents ne sont pas des prisons, tu pourras me rendre visite tous les jours si tu veux.

– Belle consolation! Je préfère ne jamais y aller si c'est pour t'apercevoir, vêtue du grand habit de religieuse, à travers la grille austère qui te séparera du monde des vivants.

Au comble du désespoir, Alix se leva en pleurant et alla se planter au milieu de la chambre.

– Quand je pense que tu vas devenir une pauvre nonne, murée dans une cellule sombre

et humide, grise comme un cadavre, méconnaissable, transie de froid et d'ennui! J'en souffrirai
mille morts! Mais tu t'en moques bien!

Elle renifla et s'essuya le nez sur la manche
de sa chemise.

– Je te déteste! lança-t-elle avant de courir
vers la garde-robe.

Clémence bondit de son lit et tenta de la rattraper. En vain. Elle eut beau tambouriner sur la
porte fermée à clef, sa sœur ne lui répondit pas.

De l'autre côté, Alix tirait nerveusement sur le
cordon qui agitait une clochette dans la chambre
de Léontine. Celle-ci arriva en courant et entra
dans la petite pièce par une porte discrète, qui
s'ouvrait sur le palier du premier étage.

– Ça, par exemple! Vous pleurez...

– Ne t'occupe pas de cela, coupa Alix, agacée.
Donne-moi ma tenue de cavalière. Vite!

– Laquelle, Mademoiselle? Monterez-vous en
amazone ou...

– Comme d'habitude! Tu sais très bien que
depuis la mort de mon père je monte toujours à
cheval en costume d'homme!

– Les robes d'écuyère sont tout de même
plus convenables pour une jeune fille de votre

âge et de votre rang, remarqua la servante d'un air indigné.

— Oui, mais on galope plus vite en montant à califourchon, Léontine! Tu devrais essayer.

— Certes non! C'est plus de mon âge. Et puis, je suis comme mademoiselle Clémence, j'ai bien trop peur des chevaux pour les approcher!

— Eh bien, moi, je les adore!

— Je sais, soupira la servante en sortant les vêtements d'une armoire.

Alix enfila un haut-de-chausses[1] bien ajusté en soie couleur safran, des bottes à boutons, une jolie chemise blanche avec un col en écharpe noué sur le devant et un justaucorps[2] bleu roi. Elle boucla sa fine ceinture de cuir, attacha ses cheveux en catogan avec un ruban de velours jaune et fixa ses éperons. Pour finir, elle attrapa son chapeau et une paire de gants, puis sortit sur le palier:

— Léontine, demande à Jacques de préparer mon cheval, vite!

---

1. Haut-de-chausses: ancêtre du pantalon.
2. Justaucorps: longue veste, fendue à l'arrière ou sur les côtés et descendant jusqu'au genou.

– Où comptez-vous aller comme ça ? s'inquiéta la servante.

– Je dois d'abord parler à Louis-Étienne. Puisque ma sœur me trahit et m'abandonne, il ne me reste que lui ! Ensuite, j'irai galoper dans la forêt pour faire passer ma colère. Ne t'inquiète pas, il ne m'arrivera rien. Allez, file aux écuries, et surtout pas un mot à ma mère !

La servante n'y comprenait rien. Elle resta bouche bée à la porte de la garde-robe et regarda la jeune fille se diriger d'un pas décidé vers la chambre de son frère.

4

Alix entra chez Louis-Étienne sans même avoir
frappé à la porte. Plongé dans un livre de géo-
graphie, celui-ci sursauta et leva sur sa sœur un
regard mécontent. Voyant qu'elle avait pleuré, il
se radoucit aussitôt.

   – Qu'est-ce qui t'arrive? demanda-t-il, inquiet.

   – Mon cher frère, je n'ai plus que toi!
Clémence veut m'abandonner pour entrer au
couvent.

   – Cela ne m'étonne guère, répondit calmement le jeune homme en quittant son fauteuil.
Je la crois volontiers faite pour ce genre de vie.

J'irai la féliciter tout à l'heure. A-t-elle dit quel ordre elle avait choisi?

Alix sentit monter en elle une immense colère.

– Elle me trahit, et c'est tout ce que tu trouves à dire! s'exclama-t-elle.

– Que veux-tu que je te dise? Si tel est son désir, nous devons le respecter.

– Mais nous ne la verrons plus! se lamenta Alix.

Sa colère semblait s'apaiser, et peu à peu les larmes recommencèrent à couler. Elle avait l'air si misérable que Louis-Étienne essaya de trouver une idée, un mot qui pût la réconforter:

– Je sais que ce sera difficile pour toi, au moins au début. Mais je resterai près de toi. Nous reprendrons nos cavalcades en forêt... Je t'emmènerai, encore plus souvent que par le passé, à l'académie d'escrime. Et surtout, pense que maintenant nous habitons Versailles... Le palais du roi est à notre porte! Imagine les robes de cour, les bals, les feux d'artifice, les promenades en gondole sur le canal, les ballets, la musique de Lulli, la comédie et les soupers magnifiques... Tu es jolie comme un cœur. Tu seras invitée partout!

– Crois-tu que je serai d'humeur à m'amuser alors que ma sœur se sera sacrifiée pour nous ?

– De quel sacrifice parles-tu, Alix ?

– Clémence est persuadée qu'elle doit entrer au couvent pour nous libérer de l'oncle Henri-Jules. Pour que tu puisses enfin assumer tes responsabilités de chef de famille, et surtout pour qu'il cesse de persécuter notre mère avec sa demande en mariage ! Voilà les vraies raisons de son engagement religieux. Avoue que tu n'aurais jamais imaginé cela !

– En effet, j'ai du mal à comprendre ! Le baron n'est pourtant pas si terrible que ça. Au cours d'une soirée, j'ai eu aussi l'occasion de croiser Léonard, son fils aîné. Je le connais mieux maintenant. Il joue gros et perd beaucoup, mais nous nous sommes assez bien entendus.

– As-tu joué aussi ? demanda Alix, inquiète, en levant sur son frère des yeux remplis de larmes.

– Oui, et j'ai perdu. Mais très peu ! Et puis, qu'importe, depuis deux mois, le baron a fait doubler ma pension.

– Tu n'es pas assez méfiant ! Tu es bien trop jeune pour traîner dans ces soirées.

– Rassure-toi, le baron m'a déjà mis en garde contre les mauvaises rencontres que l'on peut faire dans ce genre d'endroit, répondit le jeune homme. Il se conduit avec moi en véritable père. Tu vois bien qu'il n'est pas l'homme que tu imagines !

– Comment oses-tu dire un chose pareille ! s'insurgea Alix, rouge de colère. C'est à cause de lui que nous avons dû quitter la rue Payenne plus tôt que prévu ! Il poursuit notre mère de ses avances, il ne signe plus une seule facture, l'obligeant ainsi à dépenser sa dot, il veut même renvoyer Léontine, et tu as l'audace de prendre sa défense !

Louis-Étienne parut soudain embarrassé. Il lui sembla que sa sœur n'avait peut-être pas tout à fait tort... Il s'approcha de la fenêtre pour jeter un coup d'œil dans la cour au moment où un palefrenier arrivait avec un alezan harnaché. D'un air dégagé, comme pour détourner la conversation, il annonça :

– À voir la manière dont tu es habillée, je suppose que c'est ton cheval que l'on amène.

– En effet, le soleil commence à décliner, et il fait beaucoup plus frais dans les sous-bois. J'ai l'intention d'aller y galoper pour tenter de me calmer.

– Je vais t'accompagner ! Attends-moi un instant, il faut que je m'habille.

– Je n'ai besoin de personne ! répondit-elle en tournant les talons.

Louis-Étienne n'eut pas le temps de réagir : Alix était déjà sortie. De sa fenêtre, il la vit se mettre en selle et partir au grand trot.

Il fila aussitôt dans sa garde-robe et s'habilla à la hâte avant de courir aux écuries pour harnacher son cheval. Il n'avait qu'une idée en tête : rattraper sa sœur !

5

Par chance, Louis-Étienne connaissait le lieu de promenade préféré de sa sœur. À l'abri des arbres, il suivit les avenues écrasées de chaleur jusqu'au château. Depuis un mois, le roi était parti inspecter ses places fortes en Flandre et en Artois. La reine et bon nombre de courtisans l'ayant accompagné, la grande place d'armes, d'ordinaire si encombrée et bruyante, était presque déserte. Après avoir longé les murs du palais en direction du sud, le jeune homme se faufila entre le potager du roi et le chantier de la grande pièce d'eau que creusaient les gardes suisses. Il atteignit le pied de la colline de Satory et, s'enfonçant dans la forêt, il lâcha les rênes.

L'ombre était épaisse et fraîche. Les naseaux frémissants, le cheval étendit l'encolure en secouant la tête. Louis-Étienne avança ainsi un moment, bercé par le murmure de la forêt et le bruit mat des sabots sur la terre sèche. Arrivé en haut de la butte, il aperçut enfin Alix au bout d'une longue allée rectiligne qui s'étirait devant lui. Sentant son alezan frissonner imperceptiblement, elle se retourna et vit que son frère l'avait repérée. Elle éperonna sa monture, qui partit aussitôt au grand galop.

Le jeune homme s'élança à son tour.

Alix menait un train d'enfer. Le vent soulevait les pans de son justaucorps et faisait voler ses cheveux. Son chapeau n'avait pas résisté longtemps et s'était envolé dans les fougères, tout comme le ruban de velours qui retenait ses boucles. Avec une grande maîtrise de son équilibre, elle galopait en légère suspension. Gracieuse et aérienne, on aurait dit qu'elle flottait au-dessus de sa selle... Les rênes ajustées, les mains et bras en parfaite harmonie avec les mouvements de l'encolure de son cheval, la tête haute, grisée par la vitesse, le visage radieux, elle était réellement magnifique.

Louis-Étienne douta un instant de pouvoir la rejoindre. Toutefois, malgré la poussière et les cailloux qu'il recevait en plein visage, il gagnait peu à peu du terrain. Il dépassa sa sœur et galopa devant elle, la forçant à ralentir. Finalement, ils s'arrêtèrent et mirent pied à terre.

– Tu cherchais sans doute à m'épater, dit-il d'un ton sévère en desserrant les sangles pour que les chevaux, trempés de sueur, puissent reprendre leur souffle. Tu es une excellente cavalière. Bien meilleure que beaucoup de jeunes gens que je connais! Par contre, je ne te savais pas égoïste au point de faire prendre un coup de chaleur à nos bêtes!

Contrariée, Alix alla s'asseoir sur un rocher. Certes, elle aimait passionnément ses chevaux mais, cette fois, elle devait bien reconnaître qu'elle n'avait pensé qu'à elle.

Louis-Étienne vint s'installer à ses côtés, l'air perplexe. Ils restèrent ainsi quelques instants. Ce fut Alix qui brisa le silence:

– Je suis déçue, malheureuse; en un mot, trahie! Oui, c'est ça, trahie! D'abord, par ma sœur, qui veut se cloîtrer à cause d'Henri-Jules, et ensuite par toi, qui te ranges du côté de ce maudit baron! Tu vas jusqu'à te laisser entraîner dans des soirées mondaines, où tu n'as pas ta place. Tu es trop naïf! Ces endroits sont des traquenards! Il y a, paraît-il, des gens payés pour pousser les jeunes seigneurs fortunés à jouer jusqu'à ce qu'ils soient ruinés! Sans parler de tout ce qu'on raconte depuis que «l'affaire des poisons» a éclaté au grand jour. As-tu entendu parler des «mains de pendus»? Il semblerait que les joueurs professionnels en ont toujours une, cousue dans la doublure de leur habit, qui doit leur porter chance et attirer la fortune. Quelle horreur! Une main humaine, embaumée par un sorcier... J'en ai la nausée!

— Calme-toi! Tu m'assommes à débiter toutes ces sottises! Je n'ai jamais eu l'intention de te trahir. Ni toi, ni aucune autre personne de la famille. Et je ne défends pas notre oncle, je dis seulement qu'il n'est pas aussi mauvais qu'on le prétend.

— Dans ce cas, cours vite les rejoindre, lui et son Léonard de fils. Et amuse-toi bien! Il y a sans doute en prévision une de ces fameuses soirées.

– Mais certainement, ma très chère sœur, répondit Louis-Étienne sur un ton provocateur. Je suis au mieux avec Charles, le fils aîné du duc d'Esternay...

– Tu veux parler de ce pantin ridicule et prétentieux que j'ai vu plusieurs fois à l'académie d'escrime, coupa Alix. À son âge, il croise encore le fer comme un débutant!

– Peut-être, mais son père est très fortuné. Il possède un des plus beaux hôtels de la place Royale à Paris. Récemment, il a acheté une très haute charge à la cour, et, à ce titre, Sa Majesté lui a attribué un petit logement au château. Il fait maintenant partie de ceux qui ont l'immense privilège d'être «logés»!

– Sa charge consiste sans doute à présenter le pot de chambre au roi avant son coucher! lança-t-elle d'un air de défi.

Louis-Étienne la regarda un instant, mais ne releva pas son insolence.

– Dans deux ou trois semaines, poursuivit-il, dès que le roi et la cour seront de retour à Versailles, le duc d'Esternay donnera une grande réception dans sa demeure parisienne. J'y suis invité, et j'irai avec grand plaisir! Il y aura musique, danse, et souper fin. Et, ne t'en déplaise,

le jeu durera jusqu'au matin! M'accompagnerez-
vous, Mademoiselle de Maison-Dieu?

La jeune fille posa sur son frère un regard
incrédule. Sans répondre, elle se leva et rejoignit son cheval. Elle resserra la sangle et se
remit si vite en selle que son frère arriva trop
tard pour l'aider.

Elle ajusta ses rênes en le traitant d'écervelé.
Le jeune homme haussa les épaules.

Avant de lancer son cheval au galop, elle se
retourna une dernière fois et lui cria:

— Il vous faudra trouver une autre compagnie que la mienne, cher Marquis! Ne comptez
pas sur moi pour partager «l'immense privilège»
de vous voir plumé comme un vulgaire poulet!

6

Le lendemain...

– Madame, Madame! Monsieur le baron vient d'arriver! s'écria Léontine en se précipitant dans la cuisine.

Catherine de Maison-Dieu posa sa cuillère en bois dans la terrine où elle mêlait les ingrédients d'une farce aux truffes et s'essuya les mains sur le grand tablier noué autour de sa taille.

La cuisine occupait tout le sous-sol de l'hôtel de Maison-Dieu. En cette fin d'après-midi, une dizaine de cuisiniers, tourne-broches et autres serviteurs vaquaient à leurs occupations, sans vraiment prêter attention à leur maîtresse, habitués qu'ils étaient à sa présence en ces lieux.

– Que me veut-il encore? s'impatienta-t-elle en plongeant l'index dans une jatte de pêches cuites pour goûter le sirop. Est-il seul?

– Non, Madame. Son fils Léonard est avec lui.

– Mathilde, lança la marquise à une jeune servante, cette compote manque cruellement de cannelle et de muscade!

Puis, revenant à Léontine, elle soupira:

– C'est bientôt l'heure du souper. Je les soupçonne de vouloir se faire inviter à notre table. Où sont-ils?

– Jacques les a installés dans le grand salon. Il leur a dit que vous preniez un peu de repos...

– Allons, pourquoi mentir? La cuisine est un art, et je n'aurai jamais honte de descendre à l'office pour y tourner moi-même une sauce!

À ces mots, les cuisiniers et les marmitons la regardèrent avec un sourire complice.

– Mathilde, n'oubliez pas d'ajouter une goutte de vinaigre au caramel pour qu'il reste souple. Et veillez à bien chemiser les tourtières.

Sur ce, Catherine enleva son tablier et quitta à regret la cuisine, où flottaient de délicieuses odeurs de viandes rôties et de pâtisseries.

Elle emprunta le couloir de service et, quelques instants plus tard, elle arrivait dans le vestibule par la porte qui s'ouvrait sous le grand escalier. De là, elle passa au salon pour rejoindre Henri-Jules et son fils.

Ce fut Léonard qui la vit le premier. Physiquement, il était tout le contraire de son père : grand et gros, il avait un visage rond et flasque, exagérément fardé, des yeux petits et rapprochés, des cheveux tirant sur le roux, des lèvres pincées, et toutes les dents gâtées. De plus, le pauvre garçon avait un défaut de prononciation si marqué qu'il en devenait parfois incompréhensible. Seul le nez pointu rappelait celui de son père, tout comme le regard noir, vif et cruel, qui montrait dans quel moule le caractère du jeune homme avait été façonné.

– Bonjour, ma tante, dit-il en hochant la tête à la manière de Louis XIV saluant les dames sur son passage.

La marquise lui répondit par un sourire distrait et s'adressa au baron, qui s'avançait vers elle :

– Je ne vous salue pas, Monsieur, nous nous sommes déjà vus ce matin. Auriez-vous oublié quelque chose?

– C'est vous, Madame, qui avez omis de me dire que Clémence s'apprêtait à entrer au couvent. Figurez-vous que Louis-Étienne a croisé Léonard, cet après-midi, à son académie d'escrime et lui a appris la nouvelle.

Catherine aurait préféré avertir elle-même le baron au moment opportun. Très contrariée et se sentant subitement vulnérable, elle chercha une parade :

– Je tenais à ce que cela reste secret quelque temps. La décision de Clémence est trop récente. Elle est jeune et peut encore changer d'avis...

– Rassurez-vous, la coupa Henri-Jules d'une voix calme et posée, je venais justement vous dire que cette résolution me satisfait pleinement. Si tel est son choix, il faut y voir la volonté de Dieu et nous incliner, Madame.

Dans l'esprit de la marquise, la contrariété fit place à l'étonnement, et surtout à la méfiance. Se pouvait-il que le baron fût aussi respectueux d'une idée qui n'émanait pas de lui ? Que cachait une si soudaine grandeur d'âme ?

Elle invita ses visiteurs à s'asseoir. Jacques apporta aussitôt du ratafia et des massepains.

Après s'être bruyamment gavé de vin et de sucreries tout en débitant des banalités sur les intrigues de la cour, Henri-Jules s'essuya la bouche sur ses manchettes de dentelle et se leva en rotant. Il fit un signe à son fils et annonça à Catherine qu'ils devaient prendre congé.

Léonard salua sa tante à la manière d'un courtisan appliqué, après quoi il traversa le vestibule en se pavanant et sortit dans la cour. Henri-Jules baisa avec insistance la main de la marquise.

— Au revoir, Madame, susurra-t-il, les yeux brillant sous l'effet de l'alcool. Je vous le dis encore une fois, Clémence a fait le meilleur choix qui soit. Il était déraisonnable de vouloir doter vos deux filles pour qu'elles se marient. La fortune familiale aurait été irrémédiablement morcelée. J'étais d'ailleurs sur le point de vous soumettre l'idée d'envoyer l'une des jumelles au couvent. Mes désirs se trouvent comblés avant même que je ne les aie exprimés !

— Je m'étonnais aussi d'une si surprenante bienveillance ! répliqua la marquise. Mais vous

jouez mal la comédie, Monsieur! À travers vos
propos, aussi mielleux soient-ils, on devine toujours ce besoin de nuire qui vous habite. Ma
fille fera exactement ce qu'elle souhaite ou ce
que j'aurai décidé pour elle! Les considérations
financières qui vous préoccupent n'influence-
ront pas le choix de son destin, soyez-en sûr!

– Voilà que vous vous révoltez de nouveau!
Seriez-vous incapable de voir où sont vos intérêts? D'ailleurs, à ce propos, j'attends encore
votre réponse à ma demande en mariage.

– Je vous l'ai déjà donnée, ne revenons pas
sur ce sujet.

Henri-Jules se rapprocha d'elle au point que,
lorsqu'il se mit à parler, elle sentit son souffle
sur le visage.

– Il faudra pourtant bien y revenir, ma très
chère, lâcha-t-il. Je vous accorde trois semaines
de délai. Pas un jour de plus. Si vous refusez,
j'irai trouver le roi, et je lui demanderai la main
d'Alix pour Léonard... Vous n'êtes pas sans
savoir que Sa Majesté me refuse rarement une
faveur... Mon fils cherche justement à acheter
une charge à la cour. Dans ce genre d'affaires,
on gagne toujours à avoir une jeune et jolie
femme à ses côtés. Surtout si le roi la remarque...

La marquise frissonna d'horreur et le baron s'en aperçut. Profitant de ce bref instant de désarroi, il saisit sa belle-sœur par le poignet et resserra son étreinte au point de briser le bracelet qu'elle portait. Catherine étouffa un gémissement alors que, dans un élégant cliquetis, les perles fines s'éparpillaient en rebondissant sur le sol en marbre du vestibule.

– C'est un odieux chantage! souffla-t-elle d'une voix blanche. Vous êtes un serpent!

– J'étais sûr que cela ne vous laisserait pas indifférente. Au revoir, Madame.

7

L'attelage remonta la rue Saint-Antoine en direction des sinistres murailles de la Bastille et s'arrêta devant l'entrée du couvent de la Visitation.

Le judas s'ouvrit et se referma aussitôt avec un petit bruit sec. La lourde porte de chêne grinça, laissant entrer la marquise et ses deux filles. Précédées de la sœur tourière, elles traversèrent le porche, longèrent les arcades du cloître et gravirent un escalier de pierre blanche, orné d'une jolie balustrade en fer forgé, jusqu'au premier étage.

Alix s'étonna que Catherine eût l'air de bien connaître l'endroit. La mère supérieure les attendait dans son cabinet de travail, une pièce vaste et dépouillée. Seul un grand crucifix en bois foncé, garni de rameaux bénis, et quelques tableaux de saintes se détachaient sur les murs blancs. Une table aux pieds tournés, une bibliothèque, un petit secrétaire, un fauteuil et quelques chaises constituaient tout le mobilier.

Le calme et la douceur de ces lieux surprenaient après le tumulte de la rue, encombrée de carrosses, de cavaliers, de marchands et de badauds.

La religieuse observa un instant ses visiteuses. Toutes trois étaient richement vêtues. La marquise portait une magnifique toilette bleu roi. Clémence avait choisi une robe vert amande avec une profusion de rubans et de dentelles, comme pour bien montrer ce à quoi elle renonçait en entrant au couvent. Quant à Alix, qui n'acceptait toujours pas la décision de sa sœur, elle avait opté pour une tenue écarlate, couleur ô combien provocante dans un lieu saint comme celui-ci.

La mère supérieure les invita à s'asseoir et

s'installa, face à elles, dans le fauteuil placé de l'autre côté de la table.

Visiblement troublée par la ressemblance des jumelles, elle demanda en souriant à la marquise :

– Laquelle de ces deux jeunes filles allez-vous me confier, Madame ?

– L'aînée, Révérende Mère, répondit Catherine en désignant Clémence.

– Entrez-vous en religion par convenance familiale, Mademoiselle, ou venez-vous ici de votre plein gré ?

– Devenir la servante du Seigneur est mon plus cher désir, Ma Mère. C'est un choix mûrement réfléchi, de longue date, dans la joie et sans aucune contrainte.

À ces mots, Alix faillit bondir. Elle était seule à connaître toutes les raisons, outre une foi véritable, qui poussaient sa sœur à cet engagement religieux. Peu de temps après avoir pris sa décision, Clémence avait fait jurer à son frère et sa sœur de ne pas trahir son secret : personne ne devait savoir qu'elle se sacrifiait pour libérer toute la famille d'Henri-Jules et surtout pour obtenir qu'il abandonne l'idée d'épouser la marquise.

Alix lança à sa sœur un regard désespéré, puis fixa la religieuse avec une expression de reproche. Celle-ci s'en aperçut aussitôt. Elle se leva lentement et s'adressa à Clémence :

– Il est grand temps de prendre congé de votre famille, Mademoiselle. Une des sœurs viendra vous chercher dans cinq minutes pour vous conduire à la chapelle, où je vous attendrai. Vous y revêtirez l'habit des postulantes avant de vous incliner devant l'autel. Vous assisterez aux vêpres et, ensuite, on vous montrera votre chambre.

La mère supérieure salua la marquise et lui assura que Clémence serait heureuse dans son couvent. Avant de quitter la pièce, elle se tourna vers Alix et lui prit les mains :

– Ne me regardez pas ainsi, ma fille ! C'est Dieu qui vous enlève votre sœur, pas moi.

D'un regard très doux, elle lui fit comprendre qu'elle savait dans quel abîme de souffrances une telle séparation allait la plonger. La jeune fille comprit que cette femme n'était pas une ennemie.

Lorsque la religieuse fut sortie, Alix pleura.

Les jumelles se jetèrent dans les bras l'une de l'autre et s'embrassèrent longuement. Étouffées de sanglots, la gorge nouée par la douleur, elles furent incapables de prononcer une seule parole. Au comble de l'émotion et soucieuse d'abréger une scène aussi déchirante, Catherine précipita les adieux et promit de revenir au plus vite. Elle embrassa Clémence en retenant ses pleurs et entraîna Alix au moment où une novice arrivait pour emmener sa sœur.

Elles s'engouffrèrent précipitamment dans la voiture qui les attendait devant la porte du couvent afin que les passants ne remarquent pas leurs visages noyés de larmes.

– À Versailles ! Vite ! lança la marquise au cocher.

– J'ai hâte de rentrer chez nous pour pleurer tout mon soûl, déclara Alix d'une voix cassée.

– Nous ne rentrons pas directement. Je voulais te faire une surprise pour tenter d'adoucir cette cruelle épreuve. Figure-toi que madame de Maintenon a eu l'amabilité de nous inviter à la collation que donne le roi dans ses jardins pour fêter son retour au château.

– Cet après-midi ? s'étrangla la jeune fille. Nous ne pouvons pas paraître à la cour avec cette mine défaite! Si le roi nous voit, s'il nous parle...

– J'ai tout prévu, coupa Catherine en sortant d'une niche aménagée sous le siège un coffret contenant des fards, des mouches, du parfum et un petit miroir. Nous avons une heure pour nous recomposer un visage!

La marquise souriait. Sa peine semblait s'estomper. Pour cette femme qui, depuis deux ans, était habituée à surmonter les pires difficultés, seul le résultat comptait. Et, somme toute, l'entrée de Clémence au couvent s'était bien déroulée. À présent, elle l'estimait en sécurité.

Restaient Alix et l'odieux chantage que le baron faisait peser sur elle en menaçant de la marier à Léonard. À cette idée, la marquise ferma les yeux et son sourire disparut. Dieu merci, la jeune fille ignorait tout de cette machination. Pourtant, le délai de trois semaines fixé par le baron expirait dans quatre jours.

8

Une heure plus tard, deux chaises à porteurs se dandinaient l'une derrière l'autre dans les allées du parc du château de Versailles. Après avoir longé la terrasse entre le parterre d'Eau et celui du Nord, tourné à droite, puis à gauche, juste avant le bassin de Neptune, elles arrivèrent enfin devant l'entrée du Théâtre d'eau, où les porteurs exténués les déposèrent sans ménagement sur le gravier.

Alix et sa mère en descendirent, fraîches et pimpantes malgré ce parcours mouvementé. La marquise paya les quatre hommes à bout de souffle, puis elles rejoignirent les invités qu'on apercevait un peu plus loin.

Alix découvrit, caché au milieu des arbres, un petit théâtre entouré de treillages et d'ifs taillés, avec une scène surélevée de quelques marches et agrémentée de cascades et de jets d'eau. À peine eut-elle le temps d'apprécier le doux clapotis des fontaines et le parfum des fleurs disposées dans de grands vases de faïence que Louis XIV et sa suite apparurent. Les musiciens, parfaitement dissimulés derrière le rideau de verdure, commencèrent à jouer, et la musique arriva comme par magie aux oreilles des convives émerveillés.

Le bosquet du Théâtre d'eau était l'un des préférés du roi. Il aimait y venir en fin d'après-midi, à l'heure où le soleil décline, pour une collation avec ses proches et une poignée de courtisans en faveur. Magnifiquement vêtu et coiffé d'un chapeau à plumes blanches, il était accompagné de la reine et de madame de Montespan, elles-mêmes suivies de serviteurs maures, qui s'occupaient de leurs chiens et portaient leurs ombrelles. Venaient ensuite Françoise de Maintenon et la nouvelle favorite, resplendissante de jeunesse et de bijoux.

– Qui est-ce? demanda tout bas Alix à sa mère.

– Angélique de Fontanges, une pure beauté de dix-neuf ans dont le roi est si éperdument amoureux qu'il vient d'en faire une duchesse! Il faut dire qu'elle est divine...

– Je lui trouve l'air bien hautain, la coupa Alix.

– Elle joue son rôle, voilà tout! Cela ne doit pas être facile de se trouver sans cesse en présence de madame de Montespan, qui a régné pendant treize ans sur le cœur du roi. D'ailleurs, regarde comme elle a changé depuis que le roi la délaisse.

– Vous avez raison, elle est méconnaissable!

– Elle ne décolère pas et en perd sa beauté. D'ailleurs, elle a beaucoup grossi. Primi Visconti, un ami italien, m'a raconté avoir vu un méchant coup de vent relever sa robe alors qu'elle descendait de carrosse. Il est formel: les cuisses de la Montespan sont plus grosses que son propre corps! Notre homme n'est guère corpulent, mais tout de même!

La jeune fille éclata de rire.

– Elle ne pense qu'à une chose, reconquérir le roi! enchaîna Catherine, ravie que sa fille retrouve sa bonne humeur. Elle guette le moindre faux pas de sa rivale pour la faire tomber du piédestal où le roi l'a installée.

– Pourquoi le...

Alix n'eut pas le loisir de finir sa phrase. Le roi approchait... Il porta la main à son chapeau et s'inclina très légèrement d'abord devant la marquise puis devant Alix.

– Bonsoir, Madame de Maison-Dieu. Vous voir à Versailles est un plaisir trop rare. Est-ce l'une de vos filles?

– Oui, Sire. Il s'agit d'Alix.

– Suivez-moi, Mademoiselle. Je voudrais vous présenter à une personne qui m'est chère. Il me plairait que vous soyez amies.

Le souverain prit la main de la jeune fille et la conduisit jusqu'à Angélique de Fontanges.

La favorite était d'une beauté stupéfiante. Ses cheveux blond vénitien encadraient un visage d'ange aux yeux vert émeraude. À peine fardée, sa peau avait l'éclat et la fraîcheur d'un pétale de rose.

Elle accueillit Alix avec un sourire radieux. Habituellement entourée de femmes plus âgées, elle était heureuse d'avoir enfin à ses côtés une jeune fille qui avait à peu près son âge.

— Aimez-vous les ours, mademoiselle de Maison-Dieu? demanda Angélique.

— Les ours? Je ne sais pas, répondit Alix, un peu embarrassée par cette drôle de question. J'en ai rarement vu, et jamais de près. Ils sentent très mauvais, paraît-il!

La favorite se mit à rire:

— J'en possède deux, que le roi m'a offerts. Ils raffolent des pâtes de fruits! Venez me visiter un jour prochain, et je vous les montrerai. Vous les adorerez, j'en suis sûre. Ils sont si amusants! J'ai aussi un perroquet qui parle fort bien!

Puis, entraînant sa nouvelle amie vers un banc de marbre, elle ajouta:

— Allons nous asseoir, nous serons mieux pour causer.

Malgré la foule qui l'entourait, Louis XIV les observait de loin. «Cette petite Maison-Dieu me semble avoir du caractère. Quel feu dans son regard et quelle mine volontaire! Tout le portrait de son père!» pensa-t-il en s'approchant d'une table chargée de sucreries et de flacons de liqueurs.

De son côté, la marquise s'entretenait avec Françoise de Maintenon. Celle-ci, qui avait la réputation d'être très pieuse, félicita Catherine pour l'entrée de Clémence au couvent.

– Votre deuxième fille a-t-elle, elle aussi, l'intention d'entrer en religion?

– Certes non! Si leurs visages se ressemblent trait pour trait, leurs caractères sont très différents. Alix est vive, fougueuse et pétillante...

– Alors, le mariage la calmera, la coupa sèchement la Maintenon. Lui avez-vous trouvé un bon parti?

La marquise tressaillit. Cette petite phrase venait de lui rappeler une fois de plus le terrible chantage d'Henri-Jules. À l'idée que sa fille tombe entre les griffes de son cousin Léonard, elle eut une irrésistible envie de pleurer, qu'elle réussit pourtant à contenir.

– Pas encore, Madame, répondit-elle d'une voix triste.

– Ne vous affligez pas, ma chère, dit Françoise. Je vous aiderai. Il y a, à la cour, quelques jeunes aristocrates fortunés dont je connais bien les parents... Mais nous en reparlerons. Le roi semble vouloir rentrer au château. Je dois vous laisser.

Le soleil était maintenant très bas sur l'horizon, et le bosquet plongé dans l'ombre.

Le roi salua tour à tour les dames de l'assistance.

Les langues de vipères, très nombreuses à Versailles, allaient bientôt pouvoir s'en donner à cœur joie. En effet, tout le monde nota que le souverain s'était attardé à saluer Alix...

Avant de quitter le Théâtre d'eau, Louis XIV appela son premier valet de chambre, le fidèle Bontemps, et lui dit :

– Il me plairait que la marquise de Maison-Dieu et sa fille assistent à la réception qui aura lieu au château dans deux semaines. Veuillez, je vous prie, ajouter leurs noms à la liste de mes invités.

Dans l'allée, une ribambelle de chaises à porteurs attendait les dames pour les ramener au château. Alix et sa mère se firent déposer dans la cour d'honneur.

Lorsqu'elles arrivèrent à l'hôtel de Maison-Dieu, Alix aurait aimé voir son frère et parler avec lui des événements de la journée. Hélas ! son valet de chambre lui apprit que Louis-Étienne venait de partir pour Paris, où il était invité chez le duc d'Esternay. La fameuse réception au sujet de laquelle ils s'étaient querellés avait donc lieu ce soir...

En proie à une soudaine inquiétude, la jeune fille frissonna et décida d'aller se coucher sans tarder. Elle embrassa sa mère et monta aussitôt dans sa chambre. La marquise regarda sa fille gravir les marches du grand escalier; elle la trouva si délicate, et si gracieuse! Non, elle ne pouvait l'imaginer au bras de Léonard!

Quand, après avoir donné quelques ordres pour le lendemain, Catherine alla à son tour se coucher, elle savait ce qu'elle devait faire. Sa décision était prise: pour éviter à sa fille un mariage abominable, elle épouserait Henri-Jules.

9

Il faisait nuit noire, et un terrible orage s'abattait sur Paris. La pluie ruisselait sur les carreaux des fenêtres de l'hôtel d'Esternay. Parfaitement indifférents au ciel en furie, les invités du duc se pressaient autour des tables de jeu.

– Selon moi, ce jeune freluquet s'apprête à perdre gros sur une seule carte! affirma un homme d'âge mûr en désignant Louis-Étienne avec une moue dédaigneuse. Comment se nomme-t-il?

Le duc à qui il s'adressait eut un rire nerveux:

– Monsieur de Maison-Dieu. Il est, m'a-t-on dit, l'héritier d'un marquisat en Bourgogne. Une terre minuscule. Un lieu-dit, tout au plus. Voilà encore un provincial venu s'encanailler à Paris! D'ailleurs, ce garçon est un rustaud qui sent sa campagne à plein nez. Voyez son regard éteint. Et quelle naïveté! S'il s'entête, il perdra toute sa fortune; à supposer bien sûr qu'il en ait une!

D'un air entendu, l'autre haussa les sourcils en opinant du chef et vida d'un trait son verre de muscat.

Les uns après les autres, les joueurs s'étaient rassemblés autour de la table où jouait Louis-Étienne, formant une ronde de masques blafards aux regards avides d'émotions fortes, malgré l'heure tardive. La lueur vacillante des bougies se reflétait dans les yeux rougis par la fatigue et dansait sur les boucles des perruques, les soieries et les jabots de dentelle. Le jeu des ombres et de la lumière mordorée faisait scintiller les bijoux et accentuait les traits alourdis de fard de ces sinistres visages ponctués de mouches.

Il était deux heures du matin, et l'orage grondait toujours. La partie allait bientôt se terminer.

Les yeux mi-clos, la tête lourde, Louis-Étienne luttait contre la torpeur sournoise qui l'envahissait peu à peu.

— Je crois que je vais me retirer du jeu, souffla-t-il à Charles d'Esternay. Je n'en peux plus.

— Avec les cartes que vous avez en main? Ce serait une erreur... Vous êtes si près du but. Pensez à tout ce que vous avez perdu et que vous pourriez reprendre en une seule fois!

— Et si la chance m'abandonnait une nouvelle fois? Imaginez un peu la colère de mon oncle le jour où on lui présentera la facture!

— Le baron de Grenois est un homme d'honneur, Louis-Étienne! Il paiera. En ce moment, il y va aussi de votre réputation. Vous ne pouvez renoncer sans déchoir! Reprenez-vous, que diable! Faites-moi confiance, vous allez gagner!

Autour d'eux, la foule des spectateurs devenait oppressante. Au triomphe du vainqueur, ils préféraient l'amertume, la honte et le déshonneur qu'ils pouvaient lire sur le visage du perdant; cette profonde détresse à l'instant précis où la folie du jeu cède la place à la lucidité; ce regard égaré et pitoyable devant l'immensité d'une somme la plupart du temps impossible à rembourser !

Une fois de plus, ces hyènes voraces attendaient leur part du festin.

– Sept de pique, annonça la banque.

Aussitôt, une rumeur parcourut l'assistance... Louis-Étienne avait perdu !

À demi-conscient, le souffle court et les oreilles bourdonnantes, le jeune homme, submergé de nausées, signa la reconnaissance de dette qu'on lui présenta.

L'heureux bénéficiaire empocha le billet et fila sans attendre en jetant des regards furtifs autour de lui pour s'assurer qu'il n'était pas suivi. Dehors, il rejoignit Henri-Jules et Léonard, qui l'attendaient sous les arcades de la place Royale. Les trois hommes se faufilèrent dans un coin sombre et malodorant pour parler à voix basse. Quelques instants plus tard, le baron gratifia le vainqueur d'une tape amicale sur l'épaule, et chacun disparut de son côté.

Au même instant, sous le porche de l'hôtel d'Esternay, deux laquais aidaient Louis-Étienne à monter dans le carrosse du duc.

– À Versailles, et fouette, cocher ! lança

Charles d'Esternay en passant la tête par la portière.

Au premier virage, Louis-Étienne s'effondra et se mit à vomir sur le plancher du carrosse.

– Ah, Monsieur! Voilà notre voiture dans un bel état! Sans parler de mes souliers! Vous avez sans doute abusé du rossolis et de toutes les autres liqueurs qu'on vous a servies!

– Pourtant, murmura le jeune homme, à bout de forces, je n'ai presque rien bu.

– Vous vous êtes enivré au point de ne plus savoir ce que vous avez avalé, voilà tout!

Louis-Étienne ne répondit rien. Allongé sur une banquette, il se laissa bercer par le balancement du carrosse. Parfaitement indifférent au fracas des roues et des sabots ferrés sur le pavé parisien, il sombra dans un profond sommeil.

10

Il était un peu plus de trois heures du matin lorsque le carrosse s'arrêta dans la cour de l'hôtel de Maison-Dieu. Il faisait encore nuit noire. Charles n'attendit pas que les domestiques arrivent avec des flambeaux et déplient le marche-pied : il ouvrit lui-même la portière et tenta de jeter Louis-Étienne hors de la voiture. Malgré sa torpeur, le jeune homme prit soudain conscience du danger. Il s'agrippa, autant que le lui permettaient ses pauvres forces, au justaucorps de son ami. Celui-ci se débattit tant et si bien que la doublure de soie de son habit se déchira.

L'empoignade ne dura pas. Accablé de vertiges, Louis-Étienne lâcha prise et tomba lourdement, la tête la première, sur le pavé.

– Rappelez-vous, mon cher, que vous n'avez qu'une semaine pour honorer votre dette, lui lança Charles d'Esternay, l'air satisfait.

Après quoi, il remit un peu d'ordre dans sa tenue, claqua la portière et commanda à son cocher de démarrer.

Léontine et Jacques, à qui la marquise avait demandé d'attendre le retour de son fils, accoururent avec des torches et se penchèrent sur le jeune homme étendu sur le sol. Blessé au front ainsi qu'à la lèvre, il saignait abondamment.

– Maudit! cria la servante en levant le poing vers le carrosse qui déjà passait la grille. Cours chercher le docteur Cartier! souffla-t-elle à Jacques. Dépêche-toi!

Deux valets, de solides gaillards, portèrent Louis-Étienne, inanimé, dans le vestibule et l'allongèrent sur le sol de marbre.

Pieds nus, vêtues seulement de leur chemise de nuit et d'un peignoir, Alix et sa mère, alarmées par ce vacarme, descendirent en hâte le grand escalier. Folles d'inquiétude, elles tombèrent à genoux à côté du jeune homme, qui commençait à reprendre ses esprits.

– Dieu soit loué, vous revenez à vous! murmura la marquise pendant qu'Alix essuyait le sang sur le visage de son frère.

– J'ai fait prévenir le docteur Cartier, Madame, annonça Léontine.

– Je n'ai pas besoin de médecin, Mère. J'ai seulement bu plus que de raison...

– Laissez cela, mon enfant, répondit doucement Catherine. Souffrez-vous beaucoup?

– Non, je ne sens rien. J'ai seulement très soif.

– Où étiez-vous?

– À Paris, place Royale. J'étais invité au jeu du duc d'Esternay. J'ai perdu, avoua Louis-Étienne en sanglotant. Je n'aurais pas dû m'enivrer de la sorte... Je n'étais plus maître de moi, et j'ai perdu beaucoup d'argent...

– Transportez-le dans sa chambre et mettez-le au lit, ordonna la marquise en se relevant. Léontine, apportez-lui de l'eau fraîche!

Alix vint se blottir dans les bras de sa mère.

– Ce n'est pas possible! souffla-t-elle. Je connais mon frère. Il est incapable de boire à s'en rendre malade! Il y a autre chose...

Peu de temps après, la porte du vestibule s'ouvrit à la volée, et Philibert Cartier entra précipitamment.

– Ah, Docteur! s'exclama Catherine. Nous avons grand besoin de vous. Vite, venez avec moi!

Quelques instants plus tard, le médecin était au chevet de Louis-Étienne.

– Nous y voilà, chuchota-t-il en soulevant délicatement les paupières du jeune homme endormi... Pupilles fort dilatées, vomissements, vertiges, somnolence et une grande agitation, qui montre que Monsieur le marquis doit être en proie à des rêves bien extraordinaires. Vous avez raison, Madame, votre fils ne s'est pas enivré. D'ailleurs, bien que le pouls soit rapide, l'haleine n'est aucunement chargée de vapeurs d'alcool.

– Que voulez-vous dire? demanda la marquise, étonnée.

L'homme de science lança un rapide coup d'œil vers Alix et Léontine.

– Puis-je vous parler en privé, Madame? demanda-t-il.

– Certainement. Suivez-moi.

Inquiète, Catherine entraîna Philibert Cartier vers le cabinet de travail de Louis-Étienne.

Lorsqu'ils réapparurent quelques minutes plus tard, la marquise semblait bouleversée.

– Je repasserai ce soir, Madame, dit le médecin en refermant sa sacoche.

Léontine fut chargée de le raccompagner jusqu'à sa calèche.

– Faites-moi prévenir si l'état de Monsieur le marquis venait à s'aggraver, dit le médecin avant de partir.

Alix et sa mère, assises près du lit de Louis-Étienne, entendirent le pas des chevaux s'éloigner lentement.

La marquise avait ordonné à tous les domestiques de retourner se coucher : tout était silencieux.

Brusquement, un hurlement déchira la nuit.

11

Abandonnant Louis-Étienne à ses délires, Alix et sa mère dévalèrent une nouvelle fois le grand escalier. Elles arrivèrent en courant dans le vestibule, en même temps que Jacques, affolé, qui portait un flambeau. Elles sortirent sur le perron et découvrirent Léontine recroquevillée au pied des marches.

– Ah! Madame, murmura la jeune femme d'une voix éteinte en levant sur la marquise un regard épouvanté. Le Malin est entré dans cette maison! Voyez ce que j'ai trouvé. Là, par terre...

Avec l'aide de Catherine, la servante réussit à se lever et lâcha dans un sanglot :

– C'est la main du diable !

– Allons, calme-toi, et explique-moi...

Léontine prit une grande inspiration, comme si elle voulait se donner du courage.

– En marchant vers la maison, après avoir salué le docteur Cartier, expliqua-t-elle enfin, j'ai senti mon pied buter contre un objet. J'ai pensé que peut-être Monsieur le marquis avait perdu quelque chose en tombant du carrosse du duc d'Esternay. Alors, je l'ai ramassé...

Elle se remit à pleurer en s'essuyant frénétiquement les mains sur son tablier :

– Je l'ai touchée !

Alix venait d'apercevoir sur le pavé de la cour une forme étrange... Elle arracha aussitôt le flambeau des mains du valet et lui dit d'un ton qui se voulait rassurant :

– Ne t'inquiète pas pour Léontine. C'est un simple malaise... Ma mère et moi allons prendre soin d'elle. Va te coucher.

La jeune fille marcha lentement vers l'endroit de la cour où elle avait aperçu une petite tache sombre sur le sol. La stupéfaction lui fit rentrer dans la gorge le cri qu'elle s'apprêtait à pousser.

À la lumière de sa torche, elle venait de découvrir... une main !

Une main gauche, la paume tournée vers le haut. Une main momifiée à la peau brune, sèche et terne comme du parchemin. Une main aux longs doigts maigres et ridés, légèrement pliés, qui se terminaient par des ongles recourbés et noirâtres.

Un dernier détail attira l'attention de la jeune fille : un signe cabalistique était tatoué sur le mont de Jupiter, à la naissance de l'index...

En un instant lui revint en mémoire la conversation qu'elle avait eue avec son frère, quelque temps auparavant, lors de la promenade en forêt.

— Mon Dieu, gémit-elle. Une main de pendu...

12

– Comment une telle monstruosité a-t-elle pu arriver jusqu'à notre porte? demanda la marquise.

Alix et Catherine savaient que l'usage des mains de pendus était fréquent chez les aristocrates habitués des maisons de jeu. Ces «reliques» d'un genre spécial étaient censées apporter la fortune à ceux qui les possédaient.

Léontine ne pouvait détacher ses yeux du linge qui enveloppait la main. Pour elle, tout ceci n'était que sorcellerie et la bouleversait au plus haut point!

Les trois femmes étaient descendues dans le cellier. Debout autour d'une grande desserte, elles se regardaient en silence. Pourtant, la même idée revenait sans cesse dans leur esprit : ce soir, Louis-Étienne était au jeu du duc d'Esternay.

— Non ! s'écria Catherine, devinant les pensées des deux autres. Je refuse de croire que mon fils ait eu recours à ces diableries ! Il est trop jeune et encore très naïf. L'état déplorable dans lequel il se trouve aujourd'hui en est la preuve !

Alix tendit la main vers le sinistre talisman et déplia lentement la toile qui l'entourait.

Léontine se signa et détourna le regard.

— Mère, regardez ce tatouage, on dirait...

— Laisse ça, répondit la marquise. C'est sûrement la signature du sorcier qui l'a embaumée. Juste ciel ! Quelle lugubre besogne !

Après avoir fait quelques pas, elle reprit :

— Léontine, cache cette chose immonde ! Au lever du jour, tu iras l'enterrer discrètement au fond du jardin. Je sais que cela te répugne ; mais tu as toute ma confiance, et moins nous serons nombreux à être dans la confidence, mieux cela vaudra.

Bien à contrecœur, la servante accepta la délicate mission.

– Maintenant, allons voir Louis-Étienne, ajouta la marquise à l'intention d'Alix.

Lorsqu'elles entrèrent dans la chambre, elles trouvèrent le jeune homme éveillé et très calme.

Immobile, la tête légèrement tournée vers les fenêtres, le regard fixe, il semblait hypnotisé par les premières lueurs du matin qui filtraient à travers les rideaux de brocart. Dès qu'il aperçut Alix et sa mère, de grosses larmes roulèrent sur ses joues.

– Comment vous sentez-vous, mon enfant ? demanda Catherine.

– Assez bien pour prendre toute la mesure de mon infortune. Par ma faute, nous voilà proches de la ruine !

– Avant de vous alarmer, dites-moi ce que vous avez bu au cours de la soirée.

– Deux verres de vin de Champagne. Enfin, il me semble... Charles m'assure que je me suis enivré au point de ne plus me rappeler la quantité que j'avais avalée.

– Charles est un menteur ! intervint Alix. Essaie de te souvenir... Le vin avait-il un goût particulier, une odeur inhabituelle ?

– Je l'ai bu très vite, car j'avais grand-soif, et

je n'ai rien remarqué. Mais pourquoi toutes ces questions?

– Louis-Étienne, le docteur Cartier est venu tout à l'heure, expliqua la marquise. Il est formel : vous avez très certainement absorbé de l'opium, que l'on aura versé dans votre vin. Vous avez été drogué! Il m'assure que c'est une pratique courante dans tous les endroits où l'on joue. Les joueurs professionnels sont rompus aux tricheries les plus viles et prêts à tout pour s'enrichir aux dépens de joueurs inexpérimentés, comme vous...

Le jeune homme se souvint des mises en garde prononcées par sa sœur, lors de leur promenade en forêt. Il regarda Alix avec insistance comme pour lui demander pardon de ne pas l'avoir écoutée.

La marquise s'assit au bord du lit et formula enfin la question qui lui brûlait les lèvres :

– Dites-moi, Louis-Étienne, combien avez-vous perdu?

Pour toute réponse, il tourna de nouveau la tête vers la fenêtre et les larmes recommencèrent à couler sur ses joues.

Alix vint les rejoindre et embrassa les mains de son frère.

– Réponds, je t'en prie, lui dit-elle doucement. Tu n'es pas responsable. Tu as été abusé,
voilà tout.

– Si vous saviez comme j'ai honte ! réussit-il
enfin à articuler au milieu des sanglots qui
l'étouffaient. J'ai... j'ai perdu... quatre cent cin-
quante mille livres... Que je dois, paraît-il, payer
dans une semaine au plus tard...

Catherine en eut la respiration coupée. Elle
porta les mains à son visage blême, et son regard
croisa celui de sa fille, en proie à la même
angoisse...

– Pourvu que cette affaire ne soit pas encore
venue à la connaissance d'Henri-Jules ! Sinon
nous sommes perdus ! murmura-t-elle.

Tout en réfléchissant, la marquise déambulait
dans la pièce. Les idées se bousculaient dans sa
tête. Il fallait trouver une parade. Soudain, elle
s'arrêta. Louis-Étienne s'était rendormi.

Alix, médusée, n'avait pas bougé et restait
assise sur le bord du lit, le regard dans le vague.

– Viens, lui dit sa mère à voix basse.

Il était six heures du matin, l'aube pointait à
peine, et les deux femmes étaient à bout de

forces. Catherine entraîna sa fille dans le cabinet particulier attenant à sa propre chambre.

Une fois seules, elle lui dit :

— Voilà ce que nous allons faire...

Elle se dirigea vers un joli petit meuble de marqueterie, sortit une clef d'une poche cachée dans les plis de sa robe et ouvrit la porte. C'était en réalité un coffre-fort. Il contenait, entre autres choses, un grand écrin de cuir frappé d'or, qu'elle alla déposer sur un guéridon.

Alix n'avait jamais vu ce coffret et n'avait aucune idée de ce qu'il contenait.

— C'est un joyau qui vient de ma grand-mère, expliqua la marquise en gardant la main posée sur le couvercle. Il lui a été offert en cadeau de mariage, en 1617. Il a été ensuite transmis à ma mère, puis à moi, le jour de mes noces. Il t'était normalement destiné, Alix. Il a une très grande valeur.

Alix avait cessé de pleurer, et ses yeux brillaient maintenant de curiosité.

— Je vais vendre ce bijou. Crois-moi, c'est un immense sacrifice, mais cela couvrira la dette de jeu de ton frère. Demain je ferai prévenir monsieur d'Hémonstoir. C'était le meilleur ami de ton père. Il est banquier, et je lui fais entièrement confiance. Il ne refusera pas de m'aider.

Quand, enfin, Catherine ouvrit le précieux écrin, la jeune fille laissa échapper un petit cri, où se mêlaient le saisissement et l'admiration.

Délicatement posé sur un coussin de velours vert amande resplendissait un magnifique collier de rubis, avec au centre, en pendentif, un gros rubis taillé en forme de poire. C'était une parure éblouissante, digne d'une reine...

La marquise reprit avec beaucoup d'émotion dans la voix :

— Si par malheur cette histoire arrive aux oreilles d'Henri-Jules, sa colère sera terrible ; cependant, il verra au moins que je ne « mange » pas la fortune des Maison-Dieu. Il s'agit là de mon propre patrimoine, sur lequel il n'a aucun droit.

Inquiète au point qu'une étrange douleur lui tordait le ventre, Alix regarda sa mère droit dans les yeux.

— Mère, dit-elle, si le fait que la dette soit payée de vos propres deniers ne suffisait pas à calmer la colère du baron ? S'il nous menaçait de quelque péril ?...

13

Le banquier arriva le lendemain, à deux heures
de l'après-midi.

Jacques avait reçu l'ordre de le conduire directement dans le cabinet particulier de la marquise.

«Quelle belle demeure!» semblait penser
monsieur d'Hémonstoir en traversant le vestibule le plus lentement possible pour apercevoir
la décoration des salons.

En 1676, deux ans avant la mort du marquis
de Maison-Dieu, le banquier avait été l'un des
premiers à découvrir les plans de cet hôtel particulier. Son ami s'enflammait à l'idée de ce projet.

Il décrivait avec précision le faste dans lequel il voulait voir vivre sa famille. En faisant de grands gestes, il évoquait les marbres, les tentures, les cristaux et les miroirs. Avec des mots choisis, il parlait des statues, des meubles précieux et des tableaux de maîtres...

Et puis, le temps avait passé. Le marquis avait disparu, et monsieur d'Hémonstoir n'était jamais venu dans cette maison.

C'est avec un pauvre sourire que la marquise le reçut dans son cabinet particulier. La pièce était petite et éclairée par une seule fenêtre, donnant sur le jardin. Les murs et les fauteuils étaient tendus de soie fleurie, où se mêlaient le rose pêche et le vert tendre. Les rideaux avaient été taillés dans la même étoffe. Une cheminée de marbre griotte surmontée d'un miroir ourlé de bois doré et quelques petits meubles raffinés complétaient le décor. Ici, tout n'était que luxe, douceur et beauté.

Monsieur d'Hémonstoir connaissait bien le visage de la marquise. Si, malgré le temps et les épreuves, les traits n'avaient pas vieilli, le regard, lui, montrait une fragilité nouvelle.

Catherine invita son visiteur à s'asseoir, et ils parlèrent un long moment. Les retrouvailles furent émouvantes.

Elle lui raconta tout, depuis la mort de son mari jusqu'à la nuit précédente, où Louis-Étienne avait perdu tant d'argent. Tout, sans oublier la quasi-totalité de sa dot engloutie dans l'aménagement de la maison, l'entrée de Clémence au couvent, la demande en mariage et le chantage d'Henri-Jules.

Monsieur d'Hémonstoir était l'ami du marquis sans toutefois être le banquier de la famille Maison-Dieu. Il ignorait donc toutes ces choses et en fut sincèrement navré.

– Ma chère amie, dit-il quand elle eut fini, je suis au désespoir d'apprendre quelle a été votre vie depuis deux ans. Toutefois, je peux voir que, grâce à votre fortune personnelle, les volontés du marquis ont été respectées en ce qui concerne la « grandeur » de cette maison. Et je comprends mieux maintenant la raison de votre isolement. Madame d'Hémonstoir et moi-même avons beaucoup regretté que vous refusiez nos invitations. Nous savions que vous étiez en deuil, alors nous n'avons pas insisté...

Léontine entra, interrompant la conversation. Elle déposa deux tasses de chocolat et une assiette de petites brioches dorées sur un guéridon et sortit aussitôt.

– À propos, comment se porte votre épouse ? demanda la marquise

– Ah ! Madame, puisque nous en sommes aux confidences, sachez qu'elle me donne bien du souci ! Elle perd la vue, et cela aigrit son caractère, qui était déjà bien amer. Il y a fort longtemps, juste avant notre mariage, sa propre mère m'avait habilement averti de ce qui m'attendait. Je n'ai pas mis trois jours à m'apercevoir que la brave femme avait raison et, aujourd'hui, je dois reconnaître que mon épouse est une mégère !

À ces mots, la marquise ne put s'empêcher de sourire ; le banquier, devenu philosophe après vingt-cinq ans de mariage, en fit autant.

Il goûta son chocolat et reposa délicatement la tasse.

Retrouvant son sérieux, il demanda :

– Pourquoi m'avez-vous fait appeler, Madame ?

– J'ai besoin d'un service que seul un banquier est en mesure de me rendre. Après tout ce que je vous ai raconté, vous devez comprendre que je ne peux pas m'adresser à celui qui gère les comptes de la famille Maison-Dieu. Mon beau-frère serait aussitôt mis au courant; or, cette affaire doit impérativement rester secrète.

– De quoi s'agit-il exactement?

La marquise se leva et ouvrit le meuble en marqueterie qui renfermait l'écrin de cuir frappé d'or.

Lorsqu'elle souleva le couvercle du coffret, le regard du banquier s'éclaira.

– J'ai décidé de vendre ce bijou, annonça Catherine. Voulez-vous l'acheter? Votre prix sera le mien, dès lors qu'il couvrira la dette de mon fils, bien entendu.

– C'est une folie, Madame! Je consens à vous prêter la somme dont vous avez besoin, mais gardez ce joyau! Je suppose qu'il s'agit d'un patrimoine familial de grande valeur... De plus, ce n'est qu'une question de temps. D'après ce que vous m'avez dit, dans quelques semaines Louis-Étienne aura quinze ans. Il pourra enfin disposer de sa fortune, qui est immense, et alors il me remboursera...

– Non! coupa la marquise. C'est une affaire que je veux régler avec mes biens propres. Pensez au chantage à propos du mariage d'Alix et

Léonard... À cause de cela, je serai peut-être obligée d'épouser le baron de Grenois. Il est alors fort possible que je ne vous rembourse jamais, car même après son quinzième anniversaire, Henri-Jules ne laissera jamais Louis-Étienne gérer la fortune des Maison-Dieu.

– Malheureusement, votre raisonnement se tient... J'avais pour votre mari un fidèle attachement, et, à ce titre, je vais vous proposer un arrangement. J'achète ce collier pour cinq cent mille livres. Mais le bijou restera dans mon coffre jusqu'à ce que vous puissiez le reprendre.

– Merci de votre confiance, mon cher ami. Oserais-je vous demander un dernier service?

Le banquier hocha la tête, l'encourageant à parler.

– J'aimerais que vous vous chargiez du paiement de cette dette. J'avoue que cette tâche me répugne. Quand l'homme de confiance du «gagnant» viendra réclamer son dû, permettez que je vous l'envoie pour que vous traitiez directement avec lui.

– Très volontiers, répondit le banquier. Je donnerai à cet homme la somme convenue, et je vous remettrai la différence.

Catherine remit l'écrin à monsieur d'Hémonstoir, qui le glissa dans un grand maroquin de cuir brun. Puis elle se leva pour signifier que l'entretien était terminé.

– Je compte, bien entendu, sur votre entière discrétion, ajouta-t-elle. Je ne sais où le baron de Grenois va chercher ses appuis à la cour, mais il est évident qu'il a l'oreille du roi. Il obtient toutes les audiences et les faveurs qu'il demande.

– Le roi est toujours reconnaissant envers ceux qui ont combattu à ses côtés. C'est le cas de votre beau-frère, me semble-t-il. Ne cherchez pas plus loin, Madame ! Voilà toute la raison de l'amitié du roi pour le baron. N'ayez aucune crainte, tout ceci restera entre nous.

14

La matinée du lendemain fut un peu agitée.

Vers dix heures, l'homme de confiance du «gagnant» se présenta, avec plusieurs jours d'avance, à l'hôtel de Maison-Dieu pour réclamer le paiement de la dette. C'était un grand escogriffe, arrogant, poudré et parfumé à l'excès, affublé d'une perruque châtain clair et vêtu d'un habit couleur prune, assez bien ajusté. Lorsqu'il le fit entrer, Jacques remarqua avec dégoût son jabot taché de sauce et les manchettes en dentelle de ses poignets grises de crasse.

La marquise le reçut dans le vestibule, très brièvement, et avec la plus grande froideur. Elle l'envoya directement chez monsieur d'Hémonstoir. Surpris de cette manœuvre, l'homme empocha le billet où l'adresse du banquier était inscrite et déguerpit aussitôt.

À midi, un coursier arriva de Paris. Il était porteur d'une lettre de Clémence, qu'Alix lui arracha presque des mains pour l'emporter dans sa chambre et la lire en secret. Il eut juste le temps de lui dire qu'il devait attendre la réponse.

Une fois seule, Alix, folle de joie, tourna sur elle-même en serrant la lettre contre son cœur. Sa sœur avait tenu promesse ! Deux jours à peine après son entrée au couvent, elle lui écrivait déjà !

Vite, elle décacheta le pli. Le texte était court :

Ma très chère sœur,

Je suis loin, et pourtant je sais que tu souffres. Hier matin très tôt, j'ai ressenti un mal sournois, une étrange douleur au creux de l'estomac et une profonde angoisse. J'ai immédiatement pensé à toi. Je t'en supplie, dis-moi la vérité : un malheur est-il arrivé ? Es-tu malade ? S'agit-il de notre mère, ou bien de Louis-Étienne ?

Ne te tourmente pas pour moi. Je suis, ici, mieux que tu ne pourrais l'imaginer. J'attends de tes nouvelles, et je prie pour toi.

Ta sœur qui t'aime

Lorsqu'elle eut fini de lire, Alix avait les larmes aux yeux.

Ainsi, cette douleur qui lui avait tordu le ventre quand la marquise avait parlé d'un possible mariage avec Henri-Jules, sa sœur l'avait ressentie exactement au même instant. « Nous sommes jumelles, envers et contre tout. Rien ne pourra détruire cette communion de pensée qui nous unit depuis toujours. Ni le couvent, ni Henri-Jules, ni personne ! » pensa Alix en souriant.

Elle s'installa à son petit bureau pour rédiger sa réponse.

C'était la première fois qu'elle écrivait à sa sœur. Un peu nerveuse, elle cassa deux plumes de suite. Elle dut se résoudre à en prendre une neuve, et sortit du tiroir un petit canif à manche de nacre pour la tailler.

Cela fait, elle trempa la pointe dans l'encrier et commença à écrire. À la vérité, elle raconta peu de choses importantes à Clémence. En revanche, elle se promit d'aller très vite rendre visite à sa sœur et de lui apprendre de vive voix ce que sa lettre ne disait pas.

La feuille fut soigneusement pliée et, sur le verso, Alix inscrivit :

« Pour Clémence de Maison-Dieu
Couvent de la Visitation
Rue Saint-Antoine à Paris. »

La jeune fille alluma ensuite une bougie et fit fondre la cire à cacheter. Elle aimait depuis toujours cette odeur un peu âcre ; elle pensa qu'elle l'aimerait de plus en plus, puisqu'elle la sentirait à chaque lettre adressée à sa sœur. Les plumes d'oie à tailler, le crissement de la pointe sur le papier, les inévitables petites éclaboussures d'encre, le bâton de cire chauffé que l'on écrase pour fermer la lettre avant d'y imprimer la marque de son sceau... Tout ce cérémonial de l'écriture serait un lien supplémentaire entre elle et Clémence, car, de son côté, sa sœur aurait à faire les mêmes gestes, entendrait les mêmes bruits et respirerait les mêmes odeurs, toutes les fois qu'elle lui écrirait.

Alix fut émue à l'idée que le pli qu'elle tenait

entre les mains était le premier d'une longue, d'une très longue série.

Elle passa son index sur le papier, à l'endroit où était écrit : Clémence de Maison-Dieu.

Bien qu'elle sût que le messager attendait sa réponse, la jeune fille prit le temps de s'installer dans un fauteuil. Ses yeux vagabondèrent dans la chambre, où sa sœur était toujours si présente. Son regard effleura la cheminée de marbre rose, les tapis, les meubles ornés de bibelots qu'elles avaient choisis ensemble, les coussins moelleux qu'en diverses occasions elles s'étaient lancés au visage, les lits aux rideaux de satin brodé où se mêlaient le pastel des fleurs sauvages et les plumes bariolées des oiseaux exotiques...

Tout en caressant le papier, Alix avait ainsi l'impression de transmettre à Clémence un peu de la chaleur du décor qui était encore le sien si peu de temps auparavant.

Sortant enfin de sa rêverie, elle se leva et s'approcha de la fenêtre pour jeter un coup d'œil dans la cour.

Le coursier était sorti de la cuisine, où Léontine lui avait fait servir à boire, et parlait avec le palefrenier qui prenait soin de son cheval.

Alix sonna. La servante prit la lettre et descendit la donner au messager, qui se mit aussitôt en selle.

De sa fenêtre, la jeune fille, songeuse, le regarda s'éloigner.

15

Pendant que la marquise réglait l'aspect financier de la dette de jeu, Alix s'était beaucoup occupée de son frère. Elle l'avait soigné, rassuré, dorloté et distrait. Elle avait même fait installer un lit d'appoint dans sa chambre pour veiller sur lui pendant son sommeil.

Ce matin-là, il était déjà tard quand Alix s'éveilla. Elle se leva, enfila un joli peignoir de velours couleur bouton d'or et des mules de satin assorties, puis ouvrit les rideaux du lit de Louis-Étienne.

Une semaine après la soirée maudite chez le duc d'Esternay, il était rétabli.

– Bonjour, mon cher frère. À l'heure qu'il est, le banquier a dû payer ta dette, lui dit-elle en le secouant un peu pour le réveiller. Nous voilà tous libérés !

– Peut-être, répondit le jeune homme d'une voix pâteuse, mais je suis si honteux d'avoir obligé notre mère à vendre ce magnifique collier...

Une sincère et profonde tristesse se lisait sur son visage.

– Quand je serai enfin débarrassé de la tutelle d'Henri-Jules, c'est-à-dire bientôt, la première chose que je ferai sera de racheter ce bijou. J'en fais le serment !

– En attendant, tu devrais te changer un peu les idées. Que dirais-tu d'une petite visite à la salle d'armes ?

Louis-Étienne acquiesça en souriant.

– Tu ne m'y as pas emmenée depuis si longtemps ! poursuivit Alix. Ne bouge pas. Je vais passer mon costume d'homme et attacher mes cheveux en catogan. J'en ai pour une minute ! N'est-ce pas une bonne idée ?

– Je n'en suis pas certain, répondit le jeune homme, l'air embarrassé. Je suis désolé, mais je n'ai pas l'intention de croiser le fer avec toi aujourd'hui.

– Et pourquoi donc?

– Alix, tu as beaucoup changé en deux ans.
Et je n'ai guère envie que l'on découvre que je
me bats contre une donzelle, même s'il s'agit de
ma sœur bien-aimée! J'estime avoir eu suffisamment d'ennuis ces jours derniers. Essaie de me
comprendre, je t'en prie.

– Tu n'es qu'un ingrat, mais je t'adore!
répliqua la jeune fille. Je te regarderai donc
combattre, confortablement installée à la tribune
en buvant du chocolat. J'en profiterai pour
écouter les fadaises des vieilles rombières. Ce
sera sûrement très drôle! Mais, attention, je
n'accepte qu'à une condition...

– Peut-on savoir laquelle? s'inquiéta Louis-
Étienne.

– La prochaine fois que tu iras là-bas, promets-
moi de m'emmener pour que nous croisions le
fer. Tu sais très bien que lorsque je m'habille en
costume d'homme, personne ne peut soupçonner
qui je suis. Même si tu es un bon professeur,
j'en ai assez de m'entraîner dans les écuries ou
le hangar à carrosses, en cachette de notre oncle.
Quand Père était encore de ce monde, il y avait
des gens pour m'enseigner l'escrime et l'équita-
tion! Depuis qu'il a disparu, je n'ai plus qu'un

maître à danser, qui m'apprend seulement à minauder! J'en ai assez! Je sais me battre aussi bien que n'importe quel garçon de mon âge, et j'ai envie de retourner à l'académie d'escrime!

— Marché conclu! s'exclama Louis-Étienne en sautant de son lit. Je pars le premier. Prends le temps de te préparer, mets une jolie robe et retrouve-moi à la salle dès que tu seras prête.

16

Deux heures plus tard, habillée et coiffée à ravir, Alix montait les marches de la tribune, où elle fit une entrée très remarquée. Elle portait une robe de taffetas azur, qui rehaussait l'éclat de ses yeux bleu clair et accentuait la profondeur de son regard.

La tribune surplombait une grande salle aux murs peints en blanc, éclairée par cinq grandes fenêtres en demi-cercle et de nombreux candélabres, répartis dans les endroits les plus sombres. Le plancher, recouvert de sciure et passablement poussiéreux, vibrait sous les pieds des escrimeurs de tous âges et de différentes corpulences. Dans le cliquetis des fleurets et le sifflement des lames fendant l'air, une vingtaine d'hommes aux mains gantées s'affrontait. Tous vêtus de la même manière – sandales, haut-de-chausses, chemise blanche et plastron de protection –, ils évoluaient sous l'œil expert de leur maître d'armes.

Alix connaissait si bien la manière dont son frère se battait qu'elle le repéra immédiatement, malgré le masque grillagé qui lui couvrait le visage. Il croisait le fer avec un garçon apparemment beaucoup plus jeune que lui, et il ne l'avait pas encore aperçue.

Autour d'elle, des valets empressés apportaient aux spectateurs des plateaux chargés de boissons et de friandises raffinées.

Sans qu'elle eût rien demandé, on déposa sur la table à laquelle elle venait se s'asseoir une tasse de chocolat fumant et une assiette de fruits confits, ses friandises préférées.

La jeune fille observait le maître d'armes. Le brave homme, large d'épaules et rouge de figure, ne ménageait ni sa voix ni ses gestes. On aurait dit qu'il était partout à la fois, et ses exclamations résonnaient jusqu'à la tribune.

Elle l'écoutait avec amusement quand son attention fut attirée par la conversation qui se tenait à la table voisine. Trois dames d'un certain âge y étaient installées, qui sirotaient leur tasse de café du bout des lèvres.

Les deux femmes dont Alix pouvait voir le visage lui étaient inconnues. Il lui sembla reconnaître la voix de la troisième, celle qui lui tournait le dos. La jeune fille tendit l'oreille...

– Voyez cette merveille, mes très chères ! Il y en a pour une vraie fortune ! Mon mari le tient d'une pauvre veuve dans la plus extrême nécessité. Le croiriez-vous ? Cette noble dame, dont je ne connais pas le nom, en est réduite à vendre ses bijoux pour maintenir son train de maison... ou peut-être déjà pour payer ses dettes, allez savoir ! ajouta-t-elle en baissant encore plus le ton.

Alix fronça les sourcils. Ces confidences lui inspiraient les plus vives inquiétudes. Pour tenter d'en savoir plus, elle se leva discrètement et longea la balustrade de la tribune... Faisant mine de s'intéresser à une passe dont le professeur décomposait le mouvement pour un jeune escrimeur, elle se rapprocha de l'endroit où se déroulait l'action. À bonne distance de la table des trois femmes, elle se retourna lentement et identifia aussitôt celle qui avait parlé, et qu'elle pouvait maintenant voir de face. Elle n'était autre que madame d'Hémonstoir, la femme du banquier !

Alix ne l'avait pas vue depuis plusieurs années, mais un tel visage ne pouvait s'oublier ! Le regard surtout : l'œil gauche louchait vers l'intérieur et vers le bas alors que l'œil droit s'obstinait à regarder vers l'extérieur et vers le haut. Avec cela, la pauvre femme était affublé d'un nez si long et si busqué qu'on avait l'impression qu'il lui tombait dans la bouche. La jeune fille se souvenait parfaitement de ce que son père disait d'elle : «Par ma foi, la banquière ressemble à un perroquet qui mange une cerise !»

En d'autres circonstances, le souvenir de ce bon mot l'aurait fait rire. Mais, en cet instant précis, Alix était paralysée de stupeur. «La vipère !» pensa-t-elle.

Au cou de madame d'Hémonstoir, elle venait de reconnaître le collier de rubis de sa mère.

17

Le lendemain, en début d'après-midi, sur le perron de l'hôtel de Maison-Dieu, la marquise en pleurs lisait et relisait la lettre de cachet que le capitaine des gardes venait de lui remettre sur ordre du roi...

Monsieur le gouverneur, je vous fais cette lettre pour vous demander de recevoir dans mon château de la Bastille Monsieur le Marquis Louis-Étienne de Maison-Dieu et de l'y retenir jusqu'à nouvel ordre de ma part.

Sur ce, je prie Dieu qu'il vous ait, Monsieur le gouverneur, en sa sainte garde.

Écrit à Versailles, le 12 septembre 1680.

LOUIS

Ivre de rage au point de ne pouvoir verser une seule larme, Alix regardait son frère, les fers aux poignets, se préparant à monter dans le fourgon qui devait le conduire à sa prison.

Soudain, Henri-Jules surgit dans la cour. À son grand étonnement, Alix le vit parler longuement avec le prisonnier sans que les gardes interviennent le moins du monde.

Lorsque le sinistre convoi s'ébranla enfin, le baron se dirigea vers le perron, où se tenaient toujours Alix et sa mère, au comble du désespoir.

Quand il fut à leur hauteur, Alix explosa.

– Hier, après une semaine d'abattement complet, Louis-Étienne reprenait goût à la vie et se rendait à son académie d'escrime. Aujourd'hui, il est emprisonné à la Bastille ! s'exclama-t-elle, hors d'elle. Je suis certaine que c'est à cause de vous !

– Vous vous trompez, c'est le roi qui en a décidé ainsi, rétorqua Henri-Jules, la tête haute.

Je lui ai montré la reconnaissance de dette et fait part de mes craintes. Il m'a aussitôt approuvé.

– Dites-moi, Monsieur, intervint Catherine, par quel malheureux hasard ce billet à ordre s'était-il retrouvé entre vos mains ?

– Je l'ai racheté au gagnant, Madame. Je suis le tuteur de votre fils, il était de mon devoir de payer sa dette de jeu. C'était pour moi une question d'honneur !

– Vous mentez ! Cela vous a fourni un beau prétexte pour aller trouver le roi, voilà tout !

– Ma chère, votre fils est irresponsable et dépensier. Je considère qu'il représente un danger véritable pour cette noble famille qui est la nôtre, et dont il s'apprête à devenir le chef.

L'air agacé, le baron piétinait avec impatience sur le perron.

– Non, Monsieur ! gronda la marquise. Vous n'entrerez pas dans cette maison tant que mon fils sera prisonnier ! Il a été emmené comme un vulgaire assassin ! Juste ciel, un enfant de quinze ans à peine !

– Allons, allons, une incarcération à la Bastille n'a rien de déshonorant. Les plus grands noms de la noblesse y ont séjourné... En ce qui concerne Louis-Étienne, Sa Majesté pense, et moi aussi, que quelques jours de forteresse le feront réfléchir et qu'il se montrera plus raisonnable à l'avenir. Voilà pourquoi le roi a fait établir une lettre de cachet ordonnant son arrestation. Mais rassurez-vous! Étant arrivé avant que l'on emmène votre fils chéri, j'ai pu lui donner quelques conseils, et je pense l'avoir un peu réconforté. J'ai aussi glissé une bourse bien remplie dans la poche de son habit.

– Je me méfie de vos bontés comme de la peste, grinça la marquise.

– Vous avez tort! Les gardes sont toujours sensibles à de petites gratifications. Grâce à cet argent, votre fils obtiendra tout ce qui lui sera nécessaire. Savez-vous que les lits peuvent être confortables à la Bastille, et que l'on y dîne fort bien?

– Si l'endroit est à ce point accueillant, Monsieur, qu'attendez-vous pour y aller prendre pension? lança la marquise. Vous bénéficieriez ainsi de tous les bienfaits que vous me décrivez avec tant d'enthousiasme!

Elle soupira avant de reprendre:

– À la vérité, je suis certaine que seuls le

profit, la gloire, et surtout la vengeance, vous intéressent !

– Il est vrai que j'aime l'argent, répondit Henri-Jules, le regard brillant. Je me suis d'ailleurs fait rembourser la somme par le banquier à qui vous avez adressé mon homme de confiance. Mais je ne vois pas de quelle vengeance vous voulez parler !

– Oh si, vous voyez ! Votre orgueil a souffert d'être le cadet de la famille. Vous avez toujours envié et détesté mon mari parce que, étant l'aîné des Maison-Dieu, il avait hérité du titre de marquis ainsi que de la plus grosse partie de la fortune ! Vous n'avez pourtant aucune raison de vous plaindre ! Vous êtes baron, et votre fortune personnelle n'est pas négligeable. En tant que cadet, vous auriez très bien pu ne rien recevoir de votre père !

– Ce ne sont...

– Taisez-vous ! Laissez-moi finir ! s'écria Catherine. Maintenant que mon époux est mort, vous voulez reprendre la part d'héritage dont vous estimez avoir été privé. J'ai peur de comprendre les sentiments qui vous animent, Monsieur, tant ils me font horreur ! Je suis persuadée que vous voulez éliminer Louis-Étienne afin de devenir l'unique héritier du titre de marquis! C'est vous qui l'avez drogué afin qu'il perde sa raison, pour ensuite le pousser à jouer! En cloîtrant Clémence, en mariant Alix à votre fils aîné et en m'épousant, vous imaginez pouvoir mettre la main sur tous les biens de la famille! C'est cela, n'est-ce pas?

Le discours de la marquise était si véhément que le baron n'osait pas bouger. Il restait planté droit comme un piquet sur le perron.

– Monsieur, vous ne ferez plus aucun mal à mes enfants, soyez-en certain! Et sachez, une bonne fois pour toutes, que je ne serai jamais votre femme! Jamais, vous entendez? Le chantage que vous me faites en menaçant de marier Alix à Léonard ne m'effraie plus. Je vais aller trouver la reine. Je suis marquise, et mon mari est mort sur le champ de bataille! Sa Majesté m'écoutera!

– Excellente idée! ironisa Henri-Jules. Vous pouvez toujours solliciter une audience, Madame. Cela prendra des mois!

Folle de colère, Catherine venait, sans s'en apercevoir, de révéler à Alix le chantage dont celle-ci faisait l'objet...

– Mère a raison, dit la jeune fille d'une voix étrangement calme. Je préfère rejoindre Clémence au couvent plutôt que d'épouser votre fils.

Après quoi, elle entraîna la marquise à l'intérieur de la maison et referma la porte au nez du baron.

Terriblement vexé que ses ignobles manœuvres aient été découvertes, celui-ci fit demi-tour et dévala les marches du perron. Porté par ses jambes d'échassier longues et maigres, il marcha d'un pas nerveux et saccadé jusqu'à son carrosse, aboya un ordre à son cocher et s'enferma dans la voiture, qui l'emporta aussitôt.

À la grille, il croisa un cavalier. Sur son uniforme, Henri-Jules, inquiet, reconnut les couleurs du roi.

Alix et Catherine, qui s'étaient réfugiées dans le cabinet particulier de la marquise, n'entendirent pas le messager arriver. Elles furent donc surprises lorsque Léontine leur apporta un pli portant le sceau royal.

Catherine se laissa tomber dans un fauteuil, submergée par un fol espoir : le roi s'était sans doute aperçu de son erreur et l'informait que Louis-Étienne était libre !

Hélas! dès qu'elle eut brisé le cachet de cire, elle comprit qu'il n'en était rien.

Maigre consolation! Le souverain la priait seulement de se rendre au château de Versailles, en compagnie de sa fille Alix, pour assister à une grande réception qui allait être donnée une semaine plus tard.

18

Après s'être tourmentées pendant une journée entière, Alix et sa mère décidèrent d'attendre un peu avant de demander une audience à la reine Marie-Thérèse. Elles préféraient avoir recours à leurs propres relations, certes moins officielles, mais peut-être mieux placées pour glisser une parole à l'oreille du roi et obtenir la grâce de Louis-Étienne...

Il faisait très beau en ce début d'après-midi. Encouragées par le soleil, soudain pleines d'espoir et sûres de leur choix, les deux femmes partirent sur-le-champ, sans se faire annoncer. Alix allait s'adresser à la favorite du roi, Angélique de Fontanges, et la marquise à son amie de longue date, Françoise de Maintenon.

Le carrosse les déposa devant le palais, à l'entrée de la cour royale, grouillante de toutes sortes de gens. Il y avait là des badauds revenant des jardins, des provinciaux égarés à la recherche des appartements du roi, des gardes suisses en faction, des vendeurs de colifichets, des laquais en livrée et de jeunes servantes courant à leurs affaires, des aristocrates en chaise à porteurs, qui tentaient de se frayer un passage, et aussi quelques élégantes entourées de leur petite cour personnelle, le tout formant une foule bigarrée, agitée et passablement bruyante.

La mère et la fille échangèrent un regard complice et se séparèrent pour prendre la direction des appartements de leurs amies respectives.

Alix fut reçue sans délai. La jeune Angélique était très affairée mais elle sembla ravie de cette arrivée impromptue. Elle fit un très bon accueil à sa visiteuse.

— Je savais que vous ne résisteriez pas longtemps à la curiosité, Mademoiselle de Maison-Dieu! Vous mourez d'envie de connaître mes ours, avouez-le! Si seulement vous m'aviez annoncé votre visite, je les aurais fait amener. Mais, voyez-vous, le roi sera chez moi d'ici une heure, pour une collation... en tête-à-tête! Je n'ai plus le temps de faire prévenir le dresseur!

– Pardonnez-moi, lui dit Alix avec une grande tristesse dans la voix, mais je ne suis pas venue pour cela. J'ai quelque chose de grave à vous apprendre.

Curieuse d'en savoir plus, la favorite entraîna sa nouvelle amie dans un petit salon et l'invita à s'asseoir.

Pour être petite, la pièce n'en était pas moins exquise. Une grande fenêtre s'ouvrant au sud, sur une cour, laissait entrer une jolie lumière. Les murs et les fauteuils étaient tendus de soie vert pâle et mauve, les couleurs qu'Angélique avait choisies pour mettre en valeur son teint de porcelaine et ses magnifiques cheveux roux. Un épais tapis aux tons pastel recouvrait la presque totalité du parquet, et sur les meubles précieux trônaient de grands vases chinois remplis de fleurs multicolores qui embaumaient l'air.

Discrètement, un valet apporta du chocolat brûlant et des assiettes chargées de petits feuilletés aux raisins, de cerises confites, de macarons et de pâtes de fruits.

Alix raconta dans quelles sinistres circonstances Louis-Étienne s'était retrouvé à la Bastille. Elle essaya d'être à la fois brève et précise, pour ne pas lasser son interlocutrice, qu'elle sentait fébrile.

Angélique de Fontanges l'écouta assez distraitement en jetant des regards furtifs vers le salon voisin, où l'on dressait le buffet pour la collation du roi.

– Tout cela est fort contrariant! soupira-t-elle d'un air affligé. Je vois que vous avez bien des soucis, ma très chère. C'est exactement comme moi! Figurez-vous qu'Athénaïs de Montespan me déteste! Elle m'offre des bijoux hors de prix, des parfums précieux, elle arrange les rubans de mon corsage, me sourit et me flatte; et, pendant qu'elle me fait sa cour, je lis la haine dans ses yeux... Le souverain la délaisse, et elle ne peut s'y résoudre. Alors, elle veut ma perte! Heureusement, le roi est là pour me protéger. D'ailleurs, afin de me consoler, il a promis de m'offrir un carrosse à huit chevaux. Quoi de plus normal, me direz-vous, toutes les duchesses en ont un!

Mais le plus savoureux est que la belle Athénaïs en étouffera de rage!

— Je n'en doute pas, répondit Alix, agacée et déçue, réalisant que la favorite, comme tout un chacun à Versailles, travaillait uniquement à ses propres affaires.

— Je vais vous conter la farce qu'elle vient de me jouer! reprit Angélique. Le roi, qui m'aime passionnément et ne s'en cache plus, fait aménager pour moi un nouveau logement au château, tout près de ses appartements. Il pourra ainsi me voir à sa guise et plus commodément. La décoration en était presque terminée, et je me préparais à emménager. Et voilà qu'un soir, la Montespan, qui possède elle aussi deux ours, a ordonné qu'on les fasse enfermer dans ce bel appartement pendant toute la nuit! Si bien qu'au matin on a retrouvé toutes les peintures griffées, les lambris arrachés et les parquets labourés!

— C'est terrible! balbutia Alix.

«Terrrrrible!» répéta derrière elle une drôle de voix nasillarde.

La jeune fille se retourna vivement et découvrit sur un perchoir doré un magnifique perroquet vert, qui se balançait d'arrière en avant en penchant la tête sur le côté comme pour mieux l'observer.

– Oh! Mon Dieu! J'ai oublié de vous présenter Hamilcar! s'excusa Angélique.

– «Haaamilcarrrrr», reprit l'oiseau en sautillant d'une patte sur l'autre.

– Savez-vous, Alix, que ce bel oiseau est un voleur?

– Je l'ignorais.

– Figurez-vous qu'il raffole de tout ce qui est rouge. Il s'agite d'ailleurs depuis que l'on a apporté les cerises confites. Oh! ce n'est pas forcément par gourmandise. Dès qu'on le laisse libre de se dégourdir les ailes, il rapporte dans son écuelle des fruits, des pétales de fleurs, des morceaux de rubans et que sais-je encore. Enfin, tout ce qu'il peut trouver de couleur rouge!

– C'est très étonnant, en effet.

Alix se demanda soudain ce qu'elle était venue faire ici. Apparemment, Angélique n'avait pas compris que cette visite était un appel au secours. La jeune fille se reprocha sa naïveté: comment avait-elle pu imaginer que la tendre amie du roi de France pourrait seulement l'écouter?

La gorge nouée de colère devant tant d'indifférence, Alix était prête à pleurer.

À la cour, on critiquait beaucoup la Fontanges, comme toutes les favorites avant elle. On la trouvait incomparablement belle ; mais les uns prétendaient qu'elle était sotte comme un panier, et les autres qu'elle n'avait pas plus d'esprit qu'un petit chat... Bref, tout le monde était d'accord à son sujet.

Alix finit son chocolat en se disant que la rumeur avait peut-être pour une fois raison...

Soudain, Angélique se leva pour signifier à sa visiteuse qu'il était temps de partir. En la raccompagnant à la porte de son appartement, elle se rapprocha d'elle, la prit par le bras et lui dit sur le ton de la confidence :

– Revenez vite me voir, Mademoiselle de Maison-Dieu. J'ai hâte de vous présenter mes ours !

Cruellement déçue et amère, Alix sortit du château et remonta prestement dans le carrosse. À sa grande surprise, la marquise l'y attendait. Elle lut immédiatement dans le regard de sa fille que la rencontre avec Angélique n'avait pas porté ses fruits.

– Il me semble que vous n'avez pas eu plus de chance que moi, soupira-t-elle.

La jeune fille lui raconta son entretien en quelques mots et demanda quel était le sentiment de Françoise de Maintenon sur toute cette affaire.

— Elle m'a assurée de toute son amitié et de son soutien, répondit Catherine en haussant les épaules. Après quoi, elle s'est plainte de madame de Montespan, l'ancienne favorite, qui la déteste, et de la nouvelle, qui l'ignore. Ensuite, il a été question de la dauphine, dont elle est la dame d'atour. Celle-ci la méprise, paraît-il, en raison de ses origines. Il est vrai que Françoise de Maintenon est issue d'une famille pauvre et de très petite noblesse... En peu de mots, elle m'a dit n'avoir aucun pouvoir à la cour, et surtout pas celui de demander la grâce d'un prisonnier ! Elle prétend être uniquement la conseillère du roi en matière de religion... Comme si tous les prêtres qui entourent le souverain n'y suffisaient pas ! Très habilement, avec un air faussement accablé, elle m'a fait comprendre qu'en somme il ne fallait rien attendre d'elle.

— Cela ne m'étonne guère, murmura Alix.

Sur le chemin du retour, la marquise et sa fille, profondément tristes et découragées, demeurèrent silencieuses un long moment.

– La reine est maintenant notre seul recours, dit enfin Alix.

– J'irai moi-même solliciter une audience, renchérit la marquise. En attendant, j'aimerais que tu te rendes à la Bastille voir ton frère. Je tiens à m'assurer qu'il n'a besoin de rien.

– Justement, Mère, je pensais me rendre à Paris. Clémence me manque infiniment, et je sens qu'il en est de même pour elle. De plus, il me semble injuste de lui cacher plus longtemps la vérité sur le malheur qui nous frappe. Qui sait ? Peut-être aura-t-elle un bon conseil à nous donner... J'irai demain si vous le permettez.

19

– Je dois parler à Clémence de Maison-Dieu! Je
vous en prie, laissez-moi entrer!

Le judas se referma d'un coup sec devant le
visage d'Alix, et la lourde porte du couvent de
la Visitation s'ouvrit lentement.

– Venez avec moi, Mademoiselle, lui dit la
sœur tourière. Elle vous attend.

En découvrant le visage d'Alix ravagé de
larmes, la religieuse n'eut pas besoin de poser
de questions. L'affaire qui amenait la jeune fille
au couvent était sûrement de la plus haute
importance! Elle entraîna la visiteuse à sa suite

en pressant si bien le pas que les pans de son habit de nonne, des jupes jusqu'au voile, flottaient et dansaient autour d'elle comme si, en plus des courants d'air, un vent de panique eût soufflé sous le porche.

Après avoir longé les arcades du cloître, poussé une petite porte de bois sculpté, traversé un grand vestibule, gravi un escalier de pierre assez étroit et suivi un long couloir, la sœur tourière s'effaça devant Alix et la pria d'entrer dans la petite pièce où l'attendait Clémence.

Cette première séparation, pourtant de courte durée, avait paru une éternité aux jumelles. Les retrouvailles furent terriblement émouvantes ; les larmes d'Alix redoublèrent quand Clémence la serra dans ses bras.

— Je suis si heureuse de te revoir, soupira-t-elle entre deux sanglots. Tu ne peux imaginer à quel point tu me manques !

— Moi aussi, Alix, je souffre de ne pas t'avoir à mes côtés à chaque heure du jour, comme avant. Hier soir, lorsque ton message est arrivé, j'étais si heureuse de ta venue que je n'en ai pas dormi de toute la nuit! Je sais que tu as de mauvaises nouvelles à m'apprendre et j'ai beaucoup prié afin d'être prête à les entendre. J'ai demandé à la mère supérieure l'autorisation de te recevoir ici, dans ma cellule, de manière que nous puissions parler librement sans être dérangées. Cesse de pleurer et viens t'asseoir.

Alix se laissa tomber sur une chaise paillée et, tout en racontant ce qu'elle avait volontairement omis de dire à Clémence dans ses courriers, elle observait sa sœur.

Assise sur le lit, en face d'elle, celle-ci l'écoutait. Elle portait l'habit simple et dépouillé des postulantes de sa congrégation, mais le voile ne lui avait pas encore été imposé. La masse de ses cheveux était seulement retenue par un bonnet de toile d'où, çà et là, des mèches brunes s'échappaient. La chambre était minuscule, éclairée par une petite fenêtre munie de volets intérieurs. Les murs peints en blanc reflétaient la lumière du dehors. Sur une table se trouvaient un nécessaire de toilette – composé d'une cuvette, d'un broc de terre cuite et d'une brosse à cheveux –, plusieurs livres, un encrier et un bougeoir. Un peu plus loin, un prie-Dieu faisait face au mur, sur lequel se détachait un petit crucifix.

Alix raconta tout : la collation dans le parc de Versailles, la main de pendu, le collier de rubis, la salle d'armes, la lettre de cachet, l'arrestation de Louis-Étienne, l'égoïsme et l'indifférence d'Angélique de Fontanges, et l'hypocrisie de la Maintenon. Elle rapporta aussi en détail la dispute entre la marquise et Henri-Jules.

– Tu vois, ajouta-t-elle, il n'était pas nécessaire de te sacrifier pour sauver notre mère de ce mariage ! Elle sait très bien prendre ses décisions sans l'aide de...

– Je préfère penser que Dieu a entendu mes prières, la coupa Clémence. À partir d'aujourd'hui, je prierai pour Louis-Étienne, qui semble en avoir grand besoin... Ses geôliers le traitent-ils bien au moins ?

À ces mots, Alix se remit à pleurer.

– Je ne t'ai pas tout dit à son sujet, bredouilla-t-elle misérablement.

D'un bond, Clémence fut sur ses deux pieds. Elle prit sa sœur par les épaules, la forçant à se lever aussi :

– Assez de mystères ! Que me caches-tu ?

Alix regarda sa sœur droit dans les yeux et articula avec peine :

– J'arrive de la Bastille. J'avais apporté un panier de victuailles pour Louis-Étienne et quelques bouteilles de vin pour amadouer les gardes, afin qu'ils nous laissent parler un peu.

– Mais encore ! s'impatienta Clémence.

– Je n'ai pas pu le voir ! avoua Alix en baissant les yeux, la voix éteinte. Notre frère est «au secret», et l'on n'a pas voulu me dire pour quel motif ! Mère n'est pas encore au courant, puisque je suis venue te voir aussitôt. En ce moment, elle doit être en train de rédiger sa demande d'audience à la reine. C'est maintenant sur elle que repose notre seul espoir de sauver Louis-Étienne.

Clémence se mit à aller et venir à grandes enjambées dans la chambre, telle une lionne dans une cage trop étroite.

– La reine n'y pourra rien ! s'exclama-t-elle enfin. Je la connais un peu. Elle vient régulièrement dans ce couvent, dont elle est la bienfaitrice. C'est une femme douce, attentive, humaine, infiniment pieuse et ses œuvres de charité sont immenses. Mais, malgré tout le respect qui lui est dû, il faut bien admettre que Sa Majesté est tout à fait insignifiante et sans la moindre influence sur le roi. Il lui rirait au nez si elle s'avisait de lui parler des affaires de l'État! «Faites-moi la grâce, Madame, de vous mêler de ce qui vous regarde! lui dirait-il. Retournez à vos prières, votre chocolat et vos bouffons nains, et laissez-moi, je vous prie, gouverner selon mon bon plaisir.» S'adresser à la reine serait une perte de temps! C'est au souverain en personne qu'il faut parler, Alix! C'est à lui qu'il faut demander audience, et à personne d'autre!

– Tu as raison! Si un simple baron comme Henri-Jules peut voir le roi à sa guise, pourquoi une marquise ne le pourrait-elle pas? Mère plaidera à merveille la cause de son fils, et le roi en sera touché!

Clémence réfléchit un court instant avant de répondre:

– Le souverain a la réputation d'avoir un cœur de pierre. Inutile de chercher à émouvoir un homme tel que lui. Non... il faut le séduire!

– Tu me parais bien informée, pour une presque nonne!

– Je te l'ai déjà dit, les couvents ne sont pas des prisons. Les échos de la cour de Versailles parviennent aussi jusqu'à nos oreilles... Tu m'as bien raconté, tout à l'heure, que le roi s'était attardé à parler avec toi dans le bosquet du Théâtre d'eau !

– En effet...

– Tu as donc su retenir son attention ! Voilà pourquoi c'est toi qui dois solliciter une audience ! Les supplications d'une mère éplorée, fût-elle de haute lignée, ne serviront à rien. Alix, crois-moi, seuls ton charme, ta fougue et ta jeunesse l'emporteront !

L'après-midi était déjà bien entamé quand Alix reprit la route de Versailles. Entre ses mains, elle tenait la lettre écrite avec l'aide de Clémence et destinée au roi.

20

Très chère Clémence,

Le soleil n'est pas encore levé que, déjà, je ne peux résister au besoin de t'écrire.

Voilà trois jours que notre lettre a été portée au château. Depuis, chaque minute qui passe me semble une éternité. Quand la réponse du souverain arrivera-t-elle? Sera-t-elle favorable? Nul ne peut le dire, et cette incertitude me ronge. Je bondis au moindre bruit de sabots sur le pavé de la cour. Je reste des heures à la fenêtre de notre chambre à scruter le va-et-vient des équipages et des cavaliers sur l'avenue. J'ai tant l'espoir de voir un messager du roi se détacher du flot et galoper vers nous!

À tout moment, la nuit comme le jour, je tremble pour Louis-Étienne. J'en perds le sommeil. Qu'adviendra-t-il de lui, au fond de son cachot, si nous échouons ? Mère, que tu as vue hier, ne se console pas de sa visite à la Bastille. Elle pensait avoir plus de poids que moi pour faire fléchir les gardes et parler à Louis-Étienne. Mais, comme tu le sais, malgré son titre de marquise, sa prestance et la somme rondelette qu'elle avait apportée, il n'en fut rien. Elle ne peut accepter l'idée d'avoir été aussi près de son fils sans pouvoir le serrer dans ses bras.

Elle ne quitte plus sa chambre, et sa tristesse fait peine à voir.

Depuis la dispute avec Henri-Jules, celui-ci n'a pas reparu. Son absence est à la fois apaisante et inquiétante...

En ce petit matin brumeux, voilà que commence pour nous une autre journée d'espérance.

Puisse Dieu entendre nos prières afin de rendre cette douloureuse attente plus supportable et affermir le courage de notre pauvre frère.

Ta sœur qui t'aime

Alix essuya les larmes qui brouillaient sa vue, cacheta la lettre et sonna Léontine. En l'attendant, elle fixa le ciel gris, que les premières lueurs de l'aube éclairaient faiblement. La journée promettait d'être maussade.

À son ouvrage depuis au moins deux heures, la servante arriva presque aussitôt. Elle apportait de la cuisine une bouffée d'un subtil mélange de parfums familiers et rassurants : le bouillon de veau, le pain blanc, les petits biscuits à l'anis, les galettes aux amandes que l'on cuisait chaque matin pour le petit déjeuner...

– Demande à Jacques de porter ce billet au couvent de la Visitation. C'est important.

– Bien, mademoiselle, répondit Léontine en quittant la pièce.

La jeune fille s'approcha lentement d'une des fenêtres et laissa son regard vagabonder au-dehors.

Plus loin, sur l'avenue, quelques attelages lancés à grande allure roulaient déjà vers le château.

– À cette heure-ci, les courtisans commencent à s'agglutiner dans l'antichambre du roi pour assister à son lever, dit doucement la marquise, qui venait d'entrer dans la chambre de sa fille.

Alix sursauta. Perdue dans ses pensées, elle ne l'avait pas entendue arriver.

– Une fois de plus, poursuivit Catherine, les demandes de faveurs vont pleuvoir aussi dru qu'une pluie d'été. Par quel miracle le roi s'intéresserait-il à notre requête, perdue au beau milieu d'un tel océan de sollicitations?

– Il ne nous est pas permis de douter, Mère. Je crois très fort en la victoire de Louis-Étienne contre cette injustice. Il faut que nous ayons foi en l'avenir. Cela forcera le destin en notre faveur, j'en suis sûre!

Sans grande conviction, la marquise acquiesça d'un signe de tête et serra sa fille contre elle.

Les cheveux lâchés, encore vêtues de leur chemise de nuit et d'un simple peignoir, elles prirent le petit déjeuner dans la chambre d'Alix. L'anxiété leur ôtant tout appétit, elles touchèrent à peine aux mets délicieux qui leur furent servis. Alix grignotait du bout des dents un croquet à la fleur d'oranger, et Catherine se forçait à terminer un bol de bouillon quand un bruit de cavalcade se fit entendre.

Avec un ensemble parfait, elle bondirent toutes deux vers la fenêtre...

– Enfin! s'écria Alix en faisant volte-face pour s'élancer hors de la pièce.

Sur la livrée de l'homme qui venait de faire une entrée fracassante dans la cour de l'hôtel de Maison-Dieu, la jeune fille avait reconnu les couleurs du roi !

La marquise, qui n'osait y croire, resta quelques instants sur place. Finalement, elle courut sur le palier et se pencha au-dessus de la balustrade, juste à temps pour voir Alix recevoir le précieux message des mains de l'envoyé du roi...

Il était neuf heures du matin.

21

La jeune fille remonta quatre à quatre les marches du grand escalier et tendit la lettre à Catherine.

– Mère, c'est à vous qu'il revient de l'ouvrir, déclara-t-elle, un peu essoufflée.

La marquise, incrédule, examina le sceau royal et retourna le pli entre ses doigts tremblants. Sur l'autre face, elle reconnut la fine et célèbre écriture de Toussaint Rose, le secrétaire particulier de Louis XIV.

Elle avait si peur d'être déçue qu'elle déplia la feuille avec une lenteur extrême. À côté d'elle, Alix bouillait d'impatience.

Soudain, les yeux de la marquise s'illuminèrent. Sa fille ne lui avait pas vu autant de joie dans le regard depuis bien longtemps.

– Mon enfant, tu es attendue chez le roi, à quinze heures, aujourd'hui même...

Alors, tout alla très vite.

Alix décida de prendre un bain, malgré les habituelles protestations de Léontine devant un tel excès d'hygiène.

– À vous baigner aussi souvent, maugréait la servante, les forces vives qui vous animent s'échapperont de votre corps pour ne plus y revenir ! Vous finirez par tomber dans l'imbécillité, et un jour vous attraperez la mort !

– Niaise ou morte, au moins serai-je propre ! plaisanta Alix.

La servante haussa les épaules et courut appeler Mathilde, qui travaillait à la cuisine.

– Demande qu'on libère tous les fourneaux pour faire chauffer un supplément d'eau. Dépêche-toi ! lui cria-t-elle. À cette heure, la priorité n'est plus à la préparation du déjeuner, mais au bain de mademoiselle Alix !

Elle alla ensuite dans la garde-robe, alluma force bougies et tira le rideau derrière lequel se trouvait une minuscule alcôve. Une baignoire ronde en métal occupait presque tout l'espace. Léontine tapissa l'intérieur avec un drap, laissant retomber sur le pourtour une grande bordure de dentelle.

Mathilde y versa le contenu des seaux qu'un valet venait d'apporter tandis qu'Alix laissait tomber délicatement dans l'eau quelques gouttes d'essence de jasmin.

Vêtue d'une chemise de bain en lin très fin, elle se plongea avec délice dans l'eau tiède et parfumée.

Une fois le corps lavé, séché et recouvert d'un voile de poudre d'iris, Alix entreprit de se vêtir.

Sur les conseils de la marquise, Léontine et Mathilde avaient sorti des armoires de la garde-robe une bonne dizaine de chemises, de jupes, de corsets et de manteaux, sans parler des bas de soie, des rubans multicolores et d'une foule de précieux accessoires pour les cheveux.

D'un accord commun, Alix et sa mère choisirent une robe moirée couleur de feu, très ajustée à la taille. De fines dentelles agrémentaient le décolleté et bordaient les poignets. Le manteau était coupé dans un somptueux satin blanc imprimé de fleurs, d'oiseaux et de corbeilles de fruits dans les tons bleu, orange et vert. Il s'ouvrait largement sur la robe ornée de brandebourgs argentés, disposés en échelle depuis la poitrine jusqu'au bas de la jupe. La robe et le manteau étaient attachés à la taille par une fine ceinture brodée. Dans les cheveux d'Alix, savamment coiffés par Léontine, s'entremêlaient des rangs de perles et des rubans dorés.

Lorsqu'elle fut habillée, elle releva légèrement le devant de sa jupe pour glisser ses pieds gainés de soie blanche dans des souliers, recouverts du même tissu flamboyant que la robe.

Pour finir, elle se maquilla d'un soupçon de rouge vermillon sur les joues et la bouche, puis colla une petite mouche de taffetas noir au coin de ses lèvres.

«Dieu, que ma fille est belle!» pensa la marquise en lui attachant autour du cou un rang de magnifiques perles fines.

À cet instant, elles échangèrent un regard complice rempli de tristesse. Toutes deux pensaient au collier de rubis...

Quelques heures après l'arrivée du messager du roi, Alix montait dans le carrosse qui devait l'emmener au palais. La gorge nouée par l'importance de sa mission, elle se rassura bien vite en voyant son reflet dans la vitre de la portière. Une détermination farouche, une énergie sans pareille, un étrange sentiment de force, d'audace et de bonheur mêlés l'envahirent alors... Il y avait bien, collée près de sa bouche, cette petite mouche qui la chatouillait, mais jamais elle ne s'était sentie aussi belle et cela lui donnait tous les courages! Dans le ciel, les nuages se dispersaient et laissaient le soleil apparaître. La jeune fille était certaine qu'il s'agissait d'un heureux présage. Elle était prête à affronter Louis XIV, l'homme dont le rayonnement faisait dire de lui qu'il était «le plus grand roi du monde»...

22

– Sachez, Mademoiselle de Maison-Dieu, que je
ne fais jamais établir une lettre de cachet sans
raison, déclara Louis XIV.

Assis à son grand bureau, le roi avait écouté
Alix avec la plus grande attention.

L'air agacé, il quitta brusquement son fauteuil
pour aller jeter un coup d'œil par la fenêtre de
son cabinet de travail.

– Pouvez-vous m'affirmer que votre frère
n'entretient aucun commerce coupable avec
quelque sorcier des faubourgs de la capitale ?

La jeune fille, saisie de stupeur, sentit un fris-
son glacial lui parcourir tout le corps. Pourquoi

une telle question, en cette époque troublée, marquée par la funeste «affaire des poisons», à l'heure où des dizaines de parfumeuses, devineresses et autres charlatans moisissaient en prison? Où le souverain voulait-il en venir? Quelle sorte de crime cherchait-il à lui faire avouer?

– Louis-Étienne n'a pas quinze ans, Sire. Il n'est pas en âge d'avoir recours à ce genre de pratiques...

– Je n'en suis pas aussi persuadé que vous, Mademoiselle, la coupa le souverain. Rappelez-vous... Votre frère a été arrêté au début de l'après-midi, alors qu'il s'apprêtait à sortir. Où allait-il, à votre avis?

– Je n'en ai pas la moindre idée!

Le roi poussa un long soupir et retourna s'asseoir à son bureau.

Alix, debout au milieu de la pièce depuis le début de l'entretien, sentait ses forces l'abandonner à mesure que le regard du souverain se faisait plus dur. Et cette maudite mouche au coin des lèvres qui lui piquait furieusement la peau...

– Comme il se doit, votre frère a été fouillé à son arrivée à la Bastille. Les gardes ont trouvé sur lui une bourse. Savez-vous ce qu'elle contenait?

– Quelques écus, je suppose.

– Vous supposez fort mal, Mademoiselle de Maison-Dieu! tonna le roi. Elle recelait ce que les sorciers appellent «la main de pendu»! Voilà pourquoi le jeune marquis est maintenu au secret. J'ai fait serment devant Dieu de venir à bout de la sorcellerie! Cette vermine infecte toutes les couches de la société, et j'entends que l'aristocratie donne l'exemple en se conduisant bien. Je punirai sans merci tous les nobles, quel que soit leur rang, qui manqueront à leur devoir en ayant commerce avec les sorciers!

Un instant, Alix fut prise de panique. Deux choses lui revinrent en mémoire: la main de pendu, enterrée par Léontine au fond du jardin, et la dispute entre la marquise et Henri-Jules, le jour de l'arrestation de son frère.

Ainsi, le baron avait menti! La bourse qu'il avait glissée dans la poche de son neveu, au moment de son arrestation, ne contenait pas la plus petite pièce d'or, mais bel et bien une main de pendu pour le faire accuser de sorcellerie! Tout avait donc été prévu, minutieusement calculé! «Mère a raison, notre oncle veut se débarrasser de Louis-Étienne!» pensa la jeune fille, au comble du désarroi.

Pourtant, elle se doutait qu'elle ne pouvait se permettre d'accuser son oncle devant le roi.

Elle réussit à se ressaisir et à articuler:

— Sire, c'est impossible! Je vous supplie de me croire et d'accorder votre grâce à mon pauvre frère! Songez que c'est un enfant qui se morfond sur la paille humide d'un misérable cachot!

— Je verrai, Mademoiselle, je verrai! dit le souverain en se levant pour signifier que l'audience était terminée.

Voilà que venait de tomber le fameux «je verrai» de Louis XIV! Alix, comme tout le monde à la cour, connaissait cette expression. Ce n'était qu'une pirouette que le souverain avait la méchante habitude d'utiliser, chaque fois qu'il voulait éluder une question embarrassante... quand cela ne dissimulait pas un véritable refus.

— Sire, avec tout le respect que je vous dois, cette réponse est insupportable à entendre! Et vous le savez fort bien!

— Comment osez-vous! Oubliez-vous à qui vous parlez? gronda le roi, interloqué.

Suffoquant de rage, il vint se planter devant la jeune fille. Celle-ci soutint le royal regard et, toutes ses forces lui revenant d'un seul coup, elle lui lança au visage :

– Si mon père, le marquis de Maison-Dieu, vous avait répondu « je verrai », il y a deux ans, lorsque vous l'avez envoyé en Hollande, où il devait trouver la mort en combattant pour votre gloire, je ne serai pas aujourd'hui devant vous à plaider la cause d'un innocent !

En prononçant ces paroles, comme hypnotisée, le feu aux joues et le regard fixe, elle venait, sans s'en apercevoir, d'arracher la mouche collée près de sa bouche et qui l'énervait prodigieusement depuis qu'elle avait quitté sa demeure.

Après être resté quelques instants interdit, le roi éclata d'un rire sonore.

– Vous êtes irrésistible, Mademoiselle de Maison-Dieu ! s'exclama-t-il. Allez, je vous pardonne votre arrogance, disons plutôt votre audace, et je vous promets de réfléchir sérieusement à la grâce de votre frère. Je ferai cela en mémoire de votre père et aussi... pour vous plaire.

– Je vous en remercie du fond du cœur, Sire, souffla Alix en effectuant une révérence de cour parfaitement maîtrisée. Puis-je me permettre de vous poser une dernière question?

Le roi regarda Alix de haut en bas, semblant s'apercevoir avec beaucoup de retard à quel point elle était ravissante.

— Vous êtes si charmante que je ne saurais rien vous refuser. Que voulez-vous savoir?

— À quoi ressemble une main de pendu?

— Il s'agit tout bonnement d'une main momifiée, dont je vous épargnerai la macabre description. Toutefois, dans le cas du jeune marquis votre frère, le rapport de police fait état d'une rareté! La main retrouvée sur lui présente, paraît-il, une marque sur la paume, en regard de l'index. Ce tatouage a été étudié de près par mes agents. Il s'agirait d'une couronne. Depuis que durent les procès des empoisonneurs, jamais, dans aucun compte rendu de perquisition ou d'interrogatoire, il n'a été question de ce genre de chose... Vous comprenez maintenant l'intérêt tout particulier que je porte à cette affaire.

Alix fut de nouveau submergée d'angoisse. Heureusement, le souverain ne sembla pas remarquer la soudaine pâleur de son visage.

— Soyez assurée que, si je ne peux éviter à votre frère de comparaître devant les juges, au moins veillerai-je à ce que son procès soit équitable. Je vais immédiatement donner des ordres au gouverneur de la Bastille afin que le jeune marquis soit mieux traité. Je compte sur votre présence et celle de Madame votre mère, demain soir au château. Je ferai en sorte de vous apporter de bonnes nouvelles du prisonnier. Vous pouvez remercier Mademoiselle de Fontanges, en qui vous avez, je crois, une véritable amie. Elle a si bien plaidé la cause de votre famille qu'elle a réussi à m'attendrir et à vous obtenir cette audience.

– Mais alors, Sire, la lettre que nous vous avons fait porter...

– De quelle lettre voulez-vous parler ? Sachez que je lis tous les placets qui me sont adressés. Jusqu'à présent, je n'en ai jamais vu un seul portant le sceau de votre famille. Adieu, Mademoiselle, ou plus exactement à demain, murmura le roi en lui baisant la main. Je suis impatient de vous revoir.

A. rencontre à Cat questa
qui c'est passer à Versailles
avec le Roi: UMe Mimor

23

ist morte. A. enterre la
main de pendu dans le
jardin.

Sur le chemin du retour, une foule de questions
tourbillonnait dans l'esprit d'Alix. Malgré sa
joie, elle était en proie à une grande incertitude.

Apparemment, elle devait son audience avec
le roi non pas à la lettre qu'elle avait fait parvenir au château, mais à l'intervention d'Angélique
de Fontanges! Sous ses allures de jeune femme
futile et évaporée, la favorite était beaucoup
plus fine et attentive qu'on pouvait le penser.
Elle venait d'en faire la preuve. Alix se promit
d'aller lui parler dès le lendemain, lors de la soirée à laquelle elle était invitée, et de la remercier
chaleureusement.

Mais alors, qu'était devenue la lettre? Il fallait absolument qu'elle écrive à Clémence pour lui apprendre cet étrange incident.

Le tatouage découvert sur la main de pendu dont avait parlé le roi tourmentait la jeune fille. Elle ne pouvait s'empêcher de faire le rapprochement avec la main retrouvée devant chez elle quelque temps auparavant.

Elle devait à tout prix savoir où Léontine l'avait cachée pour l'étudier de près.

La marquise accourut sur le perron dès qu'elle entendit le carrosse entrer dans la cour. Alix se précipita vers elle et la serra dans ses bras.

– Mère, dit-elle, les larmes aux yeux, le roi m'a promis de sauver Louis-Étienne! Entrons, je vais tout vous raconter.

Elles restèrent un long moment à parler dans le cabinet particulier de Catherine. Alix retrouva avec plaisir la légèreté et la fraîcheur de ce décor douillet, si différent des tentures cramoisies et des plafonds surchargés de dorures qu'elle avait vus dans le bureau du roi.

À la fin de leur entretien, sans être totalement rassurée, la marquise se sentit un peu soulagée. À son tour, elle avait une révélation à faire à sa fille.

– Je dois t'apprendre une bien triste nouvelle. Monsieur d'Hémonstoir est venu me voir cet après-midi pour me faire part du décès de son épouse. Elle a été victime d'une agression : sa calèche a été attaquée dans une rue de Paris alors qu'elle se rendait en visite chez une parente. Le choc a, paraît-il, été terrible, et la pauvre femme n'a pas survécu à ses blessures. De surcroît, on lui a volé les bijoux qu'elle portait... Mais tu ne dois pas te souvenir d'elle, tu étais encore très jeune lorsque tu l'as vue pour la dernière fois.

La marquise, à qui Alix n'avait pas soufflé mot de ce qu'elle avait découvert à la salle d'armes, ne pouvait pas se douter que sa fille se souvenait très bien de la femme du banquier...

– J'en suis réellement navrée, répondit Alix, inquiète à l'idée que ce jour-là madame d'Hémonstoir ait pu porter le collier de rubis de sa mère.

Laissant Catherine à ses pensées, elle fila dans sa chambre pour écrire à Clémence. Elle lui fit le récit complet de ce que le roi lui avait appris concernant Louis-Étienne et la main de pendu.

Ensuite, Alix courut à l'office à la recherche de Léontine. Elle la trouva dans la cuisine, occupée à plumer une perdrix. La servante avait entendu la bonne nouvelle et avait donné des ordres. Ce soir, pour fêter l'espoir de revoir bientôt le jeune marquis, le souper devait être particulièrement réussi.

— Viens avec moi, Léontine, j'ai quelque chose à te demander, lui dit la jeune fille sur le ton de la confidence en l'entraînant vers le cellier.

La servante posa au passage le gibier sur la table et s'essuya les mains sur son grand tablier, faisant s'envoler un nuage de plumes. Le sourcil froncé, étonnée par tant de mystère, elle suivit Alix.

— Léontine, tu dois me dire immédiatement dans quel coin du jardin tu as caché la main de pendu ! chuchota la jeune fille dès qu'elles furent seules.

La servante soupira, accablée :

— Ah, Mademoiselle, encore ces diableries !

— Réponds ! Où est-elle ?

— Je l'ai enfermée, avec le linge qui l'enveloppait, dans un petit coffret en bois blanc, que j'ai déniché dans le grenier de la remise à carrosses. Ensuite, j'ai creusé un trou au pied du grand saule, tout au fond du parc, près de la mare du potager, et là, j'ai tout enterré. Les branches du saule retombent jusqu'au sol, personne n'a pu me voir. D'ailleurs il faisait encore sombre, le jour se levait à peine.

– Très bien, Léontine. Voilà ce que tu vas faire. Mais, attention, pas un mot à ma mère ! Cours chercher une pelle et va la planter à l'endroit précis où se trouve la main. Puis rejoins-moi dans ma chambre pour m'aider à changer de vêtements. Ensuite, tu pourras retourner à tes perdrix.

– Elles seront jamais cuites à temps, mes volailles ! marmonna la servante en quittant le cellier pour prendre la direction des jardins.

À peine une demi-heure plus tard, Alix, assise sur l'herbe, ouvrait le coffret de bois au fond duquel se trouvait le tissu blanc, jauni par endroits, qui enveloppait la « relique ». Délicatement, du bout des doigts, elle souleva le linge. La main était tournée la paume vers le haut, comme le soir où elle l'avait découverte sur le pavé de la cour. La jeune fille l'examina encore une fois. D'où pouvait-elle bien provenir? Ce qu'elle avait pris pour un signe cabalistique lors de sa macabre trouvaille, était effectivement situé à la base de l'index, sur le mont de Jupiter. Mais, à cause de la pénombre, il lui avait alors été impossible d'apercevoir les détails du dessin.

Aujourd'hui, la belle lumière de cette fin de journée ensoleillée allait lui venir en aide. Armée d'une loupe, qu'elle avait dénichée dans le cabinet de travail de Louis-Étienne, Alix se pencha sur le tatouage.

Il ne lui fallut pas longtemps pour reconnaître une couronne! À n'en pas douter, il s'agissait de la marque dont le roi lui avait parlé... Chose étrange... cet emblème, elle l'avait déjà vu quelque part, elle en était absolument certaine!

24

Le lendemain soir, rivalisant de grâce et de beauté avec les plus belles femmes de la cour, Alix et la marquise montaient le grand escalier des Ambassadeurs du château de Versailles. Son éblouissante décoration était tout juste achevée. Les fresques murales, les plafonds chargés de volutes dorées et les rosaces de marbre resplendissaient sous les feux de mille bougies. Alix fut surprise d'apercevoir, au pied des marches, une fontaine, dont le frais murmure se perdait parmi les rires et les exclamations de la foule.

Arrivées sur le palier du premier étage, elles entrèrent dans le salon de Vénus, où de longues tables étaient dressées et chargées des mets les plus délicieux. Un peu plus loin, sur la droite, se trouvait le salon de l'Abondance. On y servait toutes sortes de boissons, chaudes ou froides, ainsi que des sorbets.

Les invités étaient nombreux, et chacun voulait dépasser en élégance son voisin.

«Et en goinfrerie!» pensa Alix en voyant certains d'entre eux se bousculer pour attraper des poignées entières de pâtes de fruits.

Une nuée de valets en livrée bleue à galons d'or s'employaient à servir les convives de manière à satisfaire même les plus exigeants.

En revenant sur leurs pas, la marquise et sa fille continuèrent jusqu'au salon de Diane. Là, se tenait une partie de billard. Autour de la table de jeu étaient disposées de petites estrades recouvertes de tapis d'Orient pour que les dames puissent s'y installer et assister au spectacle.

Alix et sa mère s'émerveillaient de la splendeur des lieux. Les tableaux, les tapisseries, les vases précieux remplis de fleurs épanouies, le mobilier et les chandeliers d'argent... tout était magnifique. Et cette lumière! La nuit commen-

çait à tomber ; et pourtant, grâce aux immenses
lustres de cristal, on avait la sensation qu'un
soleil radieux éclairait l'intérieur du château.
La marquise décida de s'asseoir un moment
pour observer les joueurs. Alix, que le billard
laissait indifférente, préféra poursuivre sa promenade dans l'enfilade des salons à la recherche
d'Angélique de Fontanges. Elle espérait aussi
rencontrer le roi, qui lui avait promis des nouvelles de Louis-Étienne.

Par malchance, la première personne de
connaissance qu'elle croisa fut son cousin
Léonard, accompagné d'une meute de jeunes
aristocrates impertinents qui affichaient un air
supérieur. Alix les trouva aussi odieux que son
cousin. Elle sentit sur elle leurs regards hautains
et cyniques. Leurs sourires arrogants, découvrant
des dents jaunes et gâtées à force de mâcher du
tabac, lui firent froid dans le dos. Après quelques paroles de politesse, elle tenta de s'esquiver,
mais Léonard la retint par le bras.

– Me croiriez-vous, ma cousine, si je vous
disais que je suis sur le point d'obtenir une très
haute charge à la cour ? Dans l'entourage proche
du roi ! dit-il fièrement.

– Bas comme vous êtes, une charge de cireur

de souliers vous irait à merveille, laissa tomber Alix d'un ton glacial.

– Vous n'êtes qu'une punaise, Mademoiselle! Si vous étiez de sexe masculin, je vous demanderais réparation de cet outrage public.

– Sachez que je ne crains personne à l'épée, Monsieur mon cousin, et je serais heureuse de pouvoir un jour vous en donner la preuve!

La rage au cœur, mais le geste toujours gracieux et le sourire aux lèvres, elle fit volte-face et se perdit au milieu des danseurs, dans le salon de Mars, où la musique battait son plein.

Alix eut bientôt fait le tour des grands appartements, sans pour autant apercevoir ceux qu'elle cherchait.

Déçue et anxieuse, elle revint dans le salon de Diane pour retrouver la marquise. Lorsqu'elle arriva, sa mère était en grande conversation avec une très vieille et noble dame, à qui elle présenta Alix. C'était la comtesse Éléonore de Saint-Hymer, la grand-mère du jeune homme qui se tenait à ses côtés.

Alix était ravie de faire enfin la connaissance de son cousin Antonin, frère de Léonard et fils cadet d'Henri-Jules!

Quelle stupéfaction! Il était grand, élancé, avec les yeux gris vert les plus doux du monde, le regard franc et les cheveux châtain clair aux reflets dorés. Hormis son nez pointu, rien en ce garçon ne laissait supposer sa filiation. Il ressemblait beaucoup à sa grand-mère maternelle, la vieille comtesse de Saint-Hymer, qui l'avait élevé chez elle, en Normandie, depuis l'âge de trois ans.

En vérité, son cousin avait fière allure, et la jeune fille avait bien du mal à détacher de lui son regard.

– Aimeriez-vous un verre de vin de Champagne, Mademoiselle? proposa Antonin tandis qu'Éléonore et la marquise reprenaient leur conversation.

– Très volontiers, répondit-elle d'une voix douce et souriante.

Ils se dirigèrent ensemble vers le salon de l'Abondance. Léonard, défiguré par la jalousie, les observait de loin.

– Nous sommes cousins, et pourtant personne n'a jamais songé à nous présenter. Je sais que vous avez une sœur jumelle, et j'aimerais faire sa connaissance. Vous a-t-elle accompagnée?

demanda Antonin en prenant deux verres sur le plateau que lui présentait un valet.

– Non, Clémence n'est pas ici. Elle est entrée au couvent de la Visitation il y a peu de temps. Je lui parlerai de notre rencontre, et vous pourrez lui rendre visite si vous le souhaitez. Elle en sera ravie.

– Je ne manquerai pas d'y aller. Ma grand-mère sera reçue demain matin par le roi en audience privée. Ensuite, je la raccompagnerai sur ses terres, en Normandie. Elle préfère ne pas séjourner trop longtemps à Versailles.

En même temps que le vin doux et pétillant, Alix buvait littéralement les paroles de ce cousin à la voix si chaleureuse.

Soudain, un homme bedonnant et à la carrure imposante s'approcha d'eux. Il s'inclina cérémonieusement et s'excusa d'interrompre leur discussion :

– Bonsoir, Mademoiselle de Maison-Dieu. Je suis Alexandre Bontemps, le premier valet de chambre du roi. J'ai un message à vous transmettre de la part de Sa Majesté. Puis-je vous parler en particulier ?

– Mais certainement, Monsieur, répondit-elle en maîtrisant sa nervosité.

Antonin avait compris. Il prit la main d'Alix et y déposa un baiser. Avant de s'éloigner, il murmura :

– Promettez-moi que nous nous reverrons bientôt.

La jeune fille lui répondit d'un simple regard.

Dès qu'il eut disparu Alexandre Bontemps se pencha vers elle et lui souffla à l'oreille :

– Le roi vous attend, Mademoiselle. L'affaire est d'importance !

25

Le premier valet de chambre du roi entraîna Alix dans une succession de couloirs étroits, de corridors venteux et de somptueux salons. L'éclairage était si faible qu'on aurait dit deux ombres fantomatiques errant dans un palais oublié. Ils ne croisèrent aucun domestique; tous étaient occupés à servir les invités à l'autre bout du château. Au fur et à mesure qu'ils s'éloignaient des grands appartements, la musique, les rires et la clameur de la fête s'évanouissaient. Bientôt, ils n'entendirent plus que le bruissement du tissu de la robe d'Alix caressant le sol et les claquements de leurs talons.

La jeune fille se sentait de plus en plus inquiète. Pour tenter de chasser ses idées noires, elle écoutait ses pas résonnant de façon différente selon qu'elle marchait sur du parquet, du marbre ou des tapis. Mais la même angoisse revenait sans cesse : pourquoi le roi désirait-il lui parler en particulier ? Les nouvelles de Louis-Étienne devaient être bien mauvaises pour qu'il n'eût pas voulu les lui révéler en public !

Alexandre Bontemps s'arrêta enfin et se tourna vers Alix.

– De l'autre côté de cette porte se trouve le cabinet des perruques, déclara-t-il d'un ton solennel. C'est là que chaque matin, après son lever public, Sa Majesté achève de se vêtir et choisit sa perruque. Sachez, Mademoiselle, qu'entrer ici est un privilège rare. Personne n'y pénètre hormis le roi et moi.

Ensuite, le premier valet de chambre gratta discrètement à la porte et colla presque son oreille sur les moulures dorées, attendant une réponse, qui ne tarda pas à venir :

– Entrez, Bontemps, entrez !

Quelques instants après, Alix esquissait

une révérence face à Louis XIV, assis dans un fauteuil.

– Je vous en prie, Mademoiselle, pas de cérémonie! Asseyez-vous, s'il vous plaît.

« Quel drôle d'endroit! Voilà donc la partie la plus privée, la plus intime, de l'appartement du roi!» pensa Alix en promenant son regard autour d'elle.

La nuit était tombée sur le château de Versailles. La pièce était assez sombre. Quelques candélabres dispensaient une faible lumière, douce et dorée, qui dansait sur les boucles des perruques alignées sur des présentoirs.

– J'ai de bonnes nouvelles de votre frère. Le jeune marquis de Maison-Dieu n'est plus au secret. Il sera désormais traité avec tous les égards dus à son rang, et vous pourrez le voir dès demain, si vous le souhaitez.

– Merci, Majesté! dit Alix avec un sourire lumineux.

Pourtant, sa joie était teintée d'amertume. Certes, les conditions de vie de Louis-Étienne s'amélioraient, et elle devait s'en réjouir, mais il était toujours prisonnier!

Le roi lui-même paraissait soucieux:

– Voyez-vous, Mademoiselle, si j'ai tenu à vous rencontrer dans cet endroit secret, c'est que j'ai aussi une fort mauvaise nouvelle à vous apprendre.

Alix tressaillit. Après ce que le souverain venait de lui dire, se pouvait-il que cela concerne son frère?

– Angélique de Fontanges est très malade, poursuivit le roi. Les médecins ont passé la nuit dernière et toute cette journée à son chevet. On craint pour sa vie, je ne vous le cache pas. À l'heure qu'il est, elle va mieux. Mais combien de temps encore réussirai-je à la protéger de ceux qui veulent l'éliminer? Car il s'agit bien d'une tentative d'assassinat par empoisonnement.

«Voilà donc la raison de son absence à la réception!» pensa Alix, atterrée par ces révélations.

– C'est... c'est abominable, balbutia-t-elle.

– Le poison est bel et bien le mal de cette fin de siècle! Selon les médecins, il s'agirait d'une substance qui agit à long terme. Une petite dose administrée chaque jour suffirait à ce que la personne, prise de fièvres et de malaises, s'étiole peu à peu, décline à coup sûr et finisse par mourir. Une manière très habile de faire croire à une maladie, et non à un empoisonnement.

– Qui peut avoir intérêt à cela? demanda Alix très naïvement.

– Nous le saurons bientôt. Une enquête est en cours. En attendant, il faut trouver l'antidote à ce maudit breuvage! soupira le roi. Je suis persuadé que les médecins en sont incapables. D'ailleurs, ce sont des ânes! Ils ne connaissent que la saignée, juste bonne à achever les plus résistants! Non! Il faut nous adresser ailleurs... La solution, nous la trouverons auprès des sorciers!

– Et de quelle manière, Sire?

– Si chacun a ses petites recettes personnelles, «ses spécialités» en quelque sorte, les alchimistes et les jeteurs de sorts travaillent à peu près tous de la même façon. Depuis deux ans, la plupart ont été arrêtés. Certains ont péri sur le bûcher, mais beaucoup d'entre eux remplissent encore les prisons. Malheureusement, il reste quelques empoisonneurs en liberté, qui continuent à faire prospérer leur infâme commerce.

Le roi se leva, fit quelques pas et s'accouda à un meuble. Tout en réfléchissant, il entortillait autour de ses doigts les boucles brunes de sa longue perruque.

— Des arrestations supplémentaires ne serviraient à rien, reprit-il, puisque, même soumis à la question, ces chiens ne parlent pas ! Il faut infiltrer ce milieu et obtenir des renseignements autrement que par la force. Je ne vous cacherai pas plus longtemps mes intentions, Mademoiselle. C'est vous que j'ai choisie pour m'aider dans cette affaire. Acceptez-vous d'être mon alliée ?

Alix en resta muette d'étonnement. Ce n'est qu'après un instant d'hésitation qu'elle réussit à articuler :

— Je suis si reconnaissante à Angélique de Fontanges d'avoir plaidé la cause de Louis-Étienne que je suis prête à tout pour vous aider à la sauver ! Mais pourquoi m'avoir choisie, moi ? Êtes-vous sûr que je serai à la hauteur de la tâche que vous voulez me confier ?

— Je vous sais capable de monter à cheval et de vous battre à l'épée comme les meilleurs escrimeurs. J'ai reconnu en vous la force de caractère et la détermination de votre père. Ah ! c'était un homme qui savait se battre ! Et un fidèle ami, avec qui il m'arrivait de parler longuement. C'est la raison pour laquelle je connais tant de choses sur vous... et votre famille. De surcroît vos ancêtres ont toujours servi la royauté avec dévouement et fidélité, même dans les situations les plus délicates... Vous comprendrez que je ne puisse vous en dire davantage...

Cette révélation fut une grande surprise pour Alix. Elle n'imaginait pas son père et sa famille si proches du souverain.

– Il est bien évident, poursuivit le roi en revenant s'asseoir dans son fauteuil, que si vous menez à bien cette mission, la grâce de votre frère sera prononcée sans autres conditions. Ce n'est pas du chantage, rassurez-vous. Un service en vaut un autre, voilà tout.

– Quel sera mon rôle, Sire?

– Avant de vous l'expliquer, je veux entendre votre réponse. Mademoiselle de Maison-Dieu, acceptez-vous, oui ou non, d'être mon alliée?

– Oui, Sire.

26

La marquise rentra la première du château de Versailles. Elle se mit au lit et attendit fébrilement le retour d'Alix.

– J'espère que vous ne vous êtes pas trop inquiétée! fit la jeune fille en entrant bien plus tard dans la chambre de sa mère.

– Non, Alexandre Bontemps est venu me voir dans le salon de Diane et m'a tout expliqué. «Inutile d'attendre votre fille, m'a-t-il dit. Un carrosse la ramènera chez vous dès que son entretien avec le roi sera terminé.» Alors, dis-moi vite, as-tu des nouvelles de Louis-Étienne?

Alix s'assit au bord du lit de sa mère et commença son récit...

– Une mission secrète pour sauver Angélique de Fontanges? s'étonna la marquise. Mais pourquoi toi? La police du roi ne manque pourtant pas d'informateurs!

– Le roi souhaite que cette affaire soit entourée d'une discrétion totale. Il m'a choisie, moi, parce que nous devons beaucoup à la favorite. C'est elle qui avait obtenu l'audience que le roi m'a accordée hier. Je ne vous l'avais pas encore dit, Mère, mais notre lettre n'est jamais parvenue jusqu'à lui! Et puis, il y va aussi de la liberté de Louis-Étienne.

– Je ne suis pas sûre de comprendre, répondit Catherine en fronçant les sourcils.

– Si je réussis à sauver Angélique, il sera libéré par ordre du roi, sans même avoir à comparaître devant ses juges.

– Très bien! Mais pourras-tu continuer à habiter ici pendant le temps que durera ta mission? Sinon, où logeras-tu? Qu'adviendra-t-il si Henri-Jules réapparaît et s'aperçoit de ton absence? Que lui répondrai-je?

– Vous n'aurez pas à subir ses questions, Mère, rassurez-vous. Le roi a tout prévu. Clémence prendra ma place ici quelque temps. Elle portera mes robes, mon parfum et se coiffera comme moi. Heureusement, ses cheveux n'ont pas encore été coupés ! Elle n'a pas pour l'heure prononcé ses vœux, elle est donc libre de sortir du couvent. Sa Majesté doit déjà avoir fait porter un pli à la mère supérieure pour lui donner ses ordres.

– Les religieux ne sont pas obligés d'obéir aux ordres du roi !

– La reine est la bienfaitrice de ce couvent. Dans l'intérêt de sa communauté, la mère supérieure acceptera sans aucun doute ce marché. La cellule de Clémence sera par ailleurs mise à ma disposition. En cas de besoin, je disposerai d'un logis tout près de la Bastille.

– Tu seras donc très proche de Louis-Étienne.

– Beaucoup plus proche que vous ne pouvez le penser, Mère. Je dois, moi aussi, être embastillée dès demain matin pour me mêler aux sorcières qui se trouvent encore dans cette prison. Les consignes sont d'approcher Marie-Marguerite Monvoisin, la fille de « la Voisin ». La mère a été brûlée vive il y a environ six mois, mais sa fille et complice depuis toujours connaît à coup sûr tous ses secrets. Le roi pense qu'elle sera en mesure de trouver l'antidote au poison qui consume la pauvre Angélique.

À ces mots, la marquise porta les mains à son visage et éclata en sanglots.

– Mon Dieu, murmura-t-elle, venez-nous en aide ! Désormais, tous mes enfants sont en danger !

27

Quand Alix entra dans la cellule de Clémence, très tôt le lendemain matin, celle-ci avait déjà rassemblé tous ses effets personnels.

Alix s'aperçut qu'elle pleurait, et elle la serra dans ses bras.

– La mère supérieure est venue me prévenir en pleine nuit, sanglotait Clémence. Ordre du roi! Il fallait que je sois prête à l'aube pour rentrer chez moi.

– Tu vas devoir prendre ma place à la maison pour quelque temps, voilà tout, lui répondit doucement sa sœur.

— Je ne sais pas de quoi il s'agit, mais je suis sûre que tu vas courir de grands dangers. J'ai si peur qu'il ne t'arrive malheur!

— Il est vrai que j'ai une mission délicate à accomplir, mais il ne m'arrivera rien, déclara Alix. N'aie crainte! Le roi lui-même me protège.

— Je prierai sans relâche pour que Dieu te protège aussi. Peux-tu me dire...

— Je n'ai pas le temps de t'expliquer. On m'attend à la Bastille. Mère te racontera toute l'affaire en détail.

Devant le calme et la ferme assurance qu'affichait sa sœur, le chagrin de Clémence s'apaisa peu à peu.

— Avant de partir, il y a une chose que je voudrais te montrer, reprit Alix.

Elle sortit de sa poche une toute petite feuille de papier, qu'elle déplia et tendit à sa sœur.

— Qu'est-ce que c'est? demanda celle-ci.

— Le tatouage de la main de pendu enterrée dans notre jardin, que j'ai recopié pour te le faire voir.

— Une couronne, comme sur la main retrouvée dans la poche de Louis-Étienne à la Bastille! C'est bien cela, n'est-ce pas?

— Clémence, connais-tu cet emblème?

– Il me semble l'avoir déjà vu, mais où ?

– J'ai la même impression, soupira Alix.

Clémence resta silencieuse un moment. Perdue dans ses pensées, elle rangeait dans une petite malle de voyage les objets qu'elle avait étalés sur son lit.

Soudain, elle sursauta et regarda Alix avec un air de triomphe.

– Je sais ! s'exclama-t-elle. Nous devions avoir une douzaine d'années. Cela s'est passé dans la cour de notre ancienne demeure, rue Payenne. Nous étions allées à l'office chaparder des biscuits quand l'oncle Henri-Jules, qui était venu nous rendre visite, a voulu frapper son cocher à coups de ceinturon. Rappelle-toi, nous avons applaudi quand, d'un seul claquement de fouet, notre père, qui avait horreur de l'injustice, lui a arraché la ceinture des mains. Elle a été projetée jusqu'à la porte des cuisines, d'où nous observions la scène. C'est moi qui l'ai ramassée...

Alix ferma les yeux. Elle se souvenait à présent ! Une couronne, absolument identique à celle de la main de pendu, était imprimée dans le cuir, marquée au fer rouge, sur l'envers du ceinturon du baron !

28

À la porte du couvent, Alix ne remonta pas dans le carrosse qui l'avait amenée, car il devait conduire Clémence à Versailles. Elle prit juste un grand panier qui se trouvait à l'intérieur. Elle suivit à pied la rue Saint-Antoine et tourna à droite, en direction des hautes tours de la Bastille. La prison se trouvait à quelques pas seulement de la maison des Visitandines. Avant de se faire enfermer, la jeune fille préférait marcher et respirer l'air tiède de ce premier jour d'automne.

Elle longea un passage bordé de boutiques avant de traverser une cour et de franchir un premier pont-levis. Elle pénétra ensuite dans une deuxième cour, assez agréable, où se trouvaient l'hôtel particulier du gouverneur de la forteresse et une jolie terrasse plantée d'arbres. Sur sa gauche, une sorte de pont enjambait les fossés, où courait un ruisseau boueux. Le cœur d'Alix se serra quand elle aperçut, à l'autre bout du pont, l'entrée de la prison, gardée par une sentinelle.

Sans montrer la lettre que lui avait donnée le roi, Alix déclina son identité et demanda à voir son frère.

— C'est bon, répondit l'autre. Adressez-vous au poste de garde, à droite après le porche.

Les pas d'Alix résonnèrent sous la voûte. Elle déboucha dans une grande cour entourée de murailles.

— Qu'avez-vous là ? maugréa un garde en jetant un coup d'œil suspicieux sur le panier qu'elle portait.

— Quelques provisions pour le marquis de Maison-Dieu, répondit-elle assez sèchement en soulevant un coin du linge qui couvrait le contenu. Il y a aussi une bonne bouteille pour celui qui me conduira jusqu'à lui.

L'homme lui fit signe de la suivre. Ils entamèrent alors une longue progression dans des couloirs obscurs, où le soleil ne pénétrait jamais. Alix frissonna. Le froid était glacial, et l'humidité suintait des murs. Partout régnait une épouvantable odeur de moisi, de crasse, d'urine et de pourriture.

Une succession d'escaliers de pierre étroits et sombres les mena jusqu'au deuxième étage. Le garde s'arrêta enfin devant un cachot fermé par une lourde porte munie d'un judas. D'un cri rauque et tonitruant, il appela le veilleur, responsable des cachots de ce couloir et qui détenait les clefs.

L'autre arriva en refermant sa braguette à boutons.

– Qu'est-ce que t'as à brailler comme ça! On peut plus pisser tranquille! Sauf votre respect, ma petite dame.

– Ouvre cette porte! aboya le garde.

– J'ouvrirais bien... mais quand j'ai le gosier sec, je perds la mémoire! Et, justement, voilà que je sais plus où j'ai rangé ces maudites clefs! répondit le veilleur en lorgnant avec insistance le panier d'Alix.

— Rassure-toi, j'ai apporté de quoi te rafraî-
chir les idées, répondit la jeune fille en lui tendant une bouteille d'eau-de-vie. Il y aura aussi
une petite pièce pour chacun de vous si vous
me laissez seule avec mon frère un moment.

Déjà occupés à déboucher la bouteille, les
deux compères lui lancèrent un regard brillant
de convoitise.

— L'argent d'abord, réclama le garde en tendant la main.

Deux écus eurent raison de leur méfiance et
le veilleur consentit à la laisser entrer.

Depuis sa cellule, Louis-Étienne avait écouté
la conversation. Il avait tout de suite reconnu la
voix d'Alix. Il se tenait juste derrière la porte et
se jeta dans les bras de sa sœur dès qu'elle
entra.

— Ah! Quel bonheur de te voir enfin, sanglota-
t-il. Depuis dix jours, je vis l'enfer. Pardonne
ma faiblesse, mais j'ai cru que vous m'aviez
tous abandonné!

— Bien au contraire, nous n'avons pensé qu'à
toi, lui dit-elle en tentant de retenir ses larmes.
Il nous a fallu du temps pour obtenir une

audience du roi! Calme-toi, je t'apporte des provisions et de bonnes nouvelles. Dis-moi, es-tu malade? Veux-tu que je fasse venir le docteur Cartier?

– Non, répondit Louis-Étienne en l'invitant à s'asseoir sur l'unique chaise qui, avec une table et un lit, meublait sa prison.

La pièce n'était pas aussi sombre qu'Alix l'avait craint. La lumière s'infiltrait par une petite fenêtre grillée et son rayon oblique dessinait un rectangle lumineux sur le sol de pierre.

– J'ai appris pourquoi tu avais été mis au secret, reprit-elle.

– Qui te l'a dit?

– Sa Majesté en personne.

Louis-Étienne se remit à pleurer en se cachant le visage dans les mains:

– C'est Henri-Jules qui...

– Je sais tout, coupa Alix. Mais il y a une chose que tu dois absolument m'avouer. C'est très important, Louis-Étienne. Dis-moi la vérité, je t'en supplie... La nuit où tu as perdu au jeu du duc d'Esternay, portais-tu, oui ou non, une main de pendu dans ton habit?

– Non, Alix. Je te le jure!

– Alors comment se fait-il que Léontine en ait retrouvé une sur le pavé de la cour, juste après ton retour à la maison ?

– Quoi ? Une main de pendu chez nous ! Et tu ne m'as rien dit !

– Tu étais en si piteux état que Mère et moi n'avons pas voulu ajouter cela à ta souffrance. Ensuite, tu as été arrêté...

Le jeune homme se leva et fit quelques pas hésitants dans le cachot. Il était très amaigri.

– Les souvenirs que j'ai de cette soirée sont un peu flous ; pourtant je crois m'être débattu quand le fils du duc a voulu me pousser hors du carrosse.

– Pourquoi aurait-il fait cela ? demanda Alix, soudain inquiète. Il est ton ami, il me semble !

– Je n'en ai pas la moindre idée ! Je me suis agrippé à lui comme j'ai pu. Mais j'étais si faible que j'ai bien vite lâché prise, et je suis tombé en déchirant son habit. C'est sûrement de son justaucorps que la main est tombée !

À ce moment-là, on frappa violemment à la porte.

– Voi... voilà l'heure de partir, Ma... Mademoiselle, beugla le veilleur. Cette bouteille a des limites, et ma patience aussi ! Sortez !

– Louis-Étienne, une dernière chose, souffla Alix. Henri-Jules et le duc d'Esternay se connaissent-ils?

– Ce sont les meilleurs amis du monde, murmura le jeune homme en embrassant sa sœur. Reviens vite, Alix, je t'en prie...

– Mère passera te voir cet après-midi. Prends patience. Bientôt, tu seras libre.

Louis-Étienne regarda avec angoisse la porte du cachot se refermer sur Alix.

– Conduis-moi chez le gouverneur! Ordre du roi! lança-t-elle au garde en montrant la lettre de Louis XIV, qu'elle cachait dans une poche.

L'homme, complètement ivre, écarquilla les yeux en voyant le sceau royal, tenta de se mettre au garde-à-vous et bredouilla:

– À... à vos ordres de Sa Majesté, Mademoiselle.

Ainsi, le fils du duc possédait une main estampillée d'une couronne, comme la main de pendu glissée par Henri-Jules dans la poche de Louis-Étienne!

«Si notre oncle et le duc d'Esternay sont aussi proches que mon frère le prétend, il y a fort à parier qu'ils ont le même fournisseur, pensa

Alix. Ils doivent acheter leurs "reliques" chez le même sorcier! Je comprends maintenant pourquoi Henri-Jules se rend aussi souvent au château de Versailles. Le duc y a un logement, où ils peuvent se voir discrètement et travailler à leurs sinistres affaires. Mon séjour à la Bastille me sera d'une double utilité. J'accomplirai ma mission, car je veux sauver Angélique de Fontanges; mais je m'emploierai aussi à retrouver la trace de cet embaumeur maudit pour qu'il avoue le nom de ses clients. À coup sûr, le duc et le baron en font partie, et nous réussirons à les confondre!»

– Je ne veux pas que le roi libère mon frère uniquement «parce qu'un service en vaut un autre», dit-elle à voix basse en serrant les poings. Je prouverai son innocence!

29

L'après-midi même, à trois heures précises, Alix entrait d'un pas rapide dans le cabinet particulier de Louis XIV. Elle tendit au roi le pli cacheté que le gouverneur de la Bastille lui avait remis et fit sa révérence.

– Bonsoir, Mademoiselle, relevez-vous, je vous en prie.

Alix s'installa dans le fauteuil que le monarque lui désignait et attendit qu'il ait pris connaissance des informations contenues dans la lettre.

Louis XIV était si intimidant que la jeune fille se sentait émue comme au jour de sa première audience privée. Mais, cette fois, chacun de ses gestes trahissait une certaine nervosité et la colère se lisait dans son regard enfiévré.

Bien sûr, cela n'avait pas échappé au roi.

– Je comprends votre trouble, Mademoiselle, dit-il en posant la lettre et en s'asseyant à son tour. Croyez que je suis tout aussi ennuyé que vous d'apprendre que la fille Monvoisin a disparu. Une évasion de la Bastille, c'est à peine croyable! Cette sorcière est beaucoup plus rusée que je ne l'imaginais! Mais racontez-moi comment s'est déroulé votre passage à la prison.

– Sire, j'ai d'abord rendu visite à mon frère. Ensuite, pour me faire revêtir les hardes qui allaient me donner l'apparence d'une prisonnière, on m'a conduite dans le bureau du gouverneur de la forteresse. L'homme était très agité. À juste titre! Ce qu'il avait à me dire était pour le moins contrariant. Tout comme vous, il pensait que personne ne pouvait s'échapper d'une prison aussi bien gardée.

– Force est de reconnaître que certains en trouvent pourtant le moyen, murmura le roi avec agacement.

– Je suis donc revenue le plus vite possible à Versailles pour vous rendre compte de la situation et savoir quels étaient vos ordres, reprit la jeune fille.

– Il nous faut absolument retrouver cette sorcière, où qu'elle soit! La vie de la duchesse de Fontanges en dépend.

Le roi se leva et fit quelques pas dans la pièce, l'air très préoccupé:

– Mademoiselle, vous aviez consenti à vous laisser grimer et à vous faire enfermer à la Bastille pour faire parler la fille Monvoisin. Seriez-vous prête à vous lancer à sa recherche?

– Oui, Sire.

– Bien sûr, deux de mes meilleurs espions vous accompagneront, et devront vous obéir pour tout. Cette fois, vous ne serez pas vêtue en prisonnière mais en homme. Cela ne vous effraie-t-il pas?

– Pas le moins du monde, j'ai l'habitude de monter à cheval dans cette tenue.

– Dans ce cas, Mademoiselle de Maison-Dieu, dit le roi en tirant sur un cordon, je vais donner des ordres en conséquence.

Alexandre Bontemps entra aussitôt et le roi lui exposa toute l'affaire.

Ensuite, tout alla très vite.

Vêtus comme des gueux, mais armés jusqu'aux dents, Alix et ses deux compagnons partirent aussitôt à la recherche de la fille Monvoisin. Ils commencèrent par rôder dans les cabarets et tentèrent de se lier d'amitié avec les patrons. Ils écoutèrent discrètement les conversations des clients, payèrent des pichets de vin aux ivrognes afin de délier leur langue, explorèrent les faubourgs crasseux, questionnèrent les filles des rues...

Ils savaient qu'ils risquaient leur vie. En effet, à tout moment, ils pouvaient être découverts. Malgré son courage, Alix en avait bien souvent des frissons dans le dos...

Pourtant, leur mission prit très vite une bonne tournure. Se faisant passer pour des aventuriers en maraude, ils réussirent même à nouer des relations, et des meilleures, avec les gaillards de la cour des Miracles! C'est là qu'ils apprirent que des sorciers cherchaient le moyen de filer en Angleterre pour échapper à la police et au tribunal. Alix se douta que la fille Monvoisin en faisait partie. Sur les conseils de la jeune fille, l'un des espions du roi raconta aux malfrats que son frère était pêcheur dans un village près de

Calais, et qu'il pouvait faire passer toute la racaille qu'on voulait sur les côtes anglaises. Il suffisait de payer.

Avec ces belles promesses, il ne leur fallut pas longtemps pour retrouver la trace de la sorcière. Un soir, dans une gargote, le chef des voleurs de la cour des Miracles leur présenta un fameux gredin, sorcier de son état, qui cherchait à quitter la France pour échapper au bûcher. Il disait qu'ils étaient plusieurs à vouloir en faire autant, et qu'ils étaient pressés. Alors, Alix et ses deux compagnons proposèrent leurs services et demandèrent à voir tous les intéressés pour discuter du prix de la traversée... Rendez-vous fut pris. Lorsqu'ils se présentèrent, la fille Monvoisin était parmi eux... Il ne restait plus aux espions qu'à lui passer les fers aux poignets!

30

Après quelques jours de repos bien mérité, Alix rendit visite à Angélique de Fontanges. Elle frappa doucement à la petite porte de service et poussa le battant entrouvert. Dans un léger bruissement d'étoffe, elle se faufila dans la chambre de la favorite.

– Ah, Mademoiselle de Maison-Dieu! Je vous attendais, murmura celle-ci en tendant à Alix une main pâle et amaigrie. Je suis si heureuse de vous retrouver! J'ai bien cru ne pas vivre assez longtemps pour goûter le bonheur de vous revoir.

Alix s'approcha du fauteuil où Angélique se reposait, la salua et saisit sa main.

Elles ne s'étaient pas rencontrées depuis le jour où Alix était venue prier la duchesse de plaider la cause de son frère auprès du roi... Comme la favorite avait changé! Son teint frais et délicat avait jauni, ses joues satinées s'étaient creusées, et la petite étincelle qui brillait dans ses yeux émeraude semblait s'être évanouie...

– Contrairement à vous, je n'ai jamais douté de votre guérison, répondit Alix avec assurance.

Angélique se leva et jeta un regard furtif vers l'antichambre, où elle entraîna aussitôt son amie. Au passage, elle taquina Hamilcar, son magnifique perroquet vert, en lui donnant une pichenette sur le bec.

– Bas les paaaaattes! protesta l'oiseau en battant des ailes.

– Savez-vous que cet oiseau est toujours aussi voleur, dit Angélique. Voyez plutôt!

Elle plongea la main dans la mangeoire de l'animal et en ressortit une poignée d'objets rouges: trois plumes, un bouton de justaucorps et quelques pétales de rose collés sur une cerise confite.

Elles entrèrent en riant dans la pièce voisine, où trois hommes, dont un prêtre, se tenaient debout autour d'un guéridon. L'air embarrassé et le sourcil froncé, ils paraissaient avoir une conversation des plus sérieuses.

– Un morceau de blanc, vous dis-je!

– Non, l'abbé, la cuisse...

– L'aile peut-être, mais sans la peau, naturellement, suggéra le troisième.

Ils se retournèrent pour saluer Alix, qui aperçut enfin l'objet de leur préoccupation : une volaille dorée et fumante.

– Je vous présente mon confesseur, l'abbé Martinet, et le docteur Morin, mon médecin, dit Angélique en souriant. Et voici monsieur Bontemps, que vous connaissez déjà. Imaginez-vous, ma chère amie, que ces messieurs tiennent à me faire manger du rôti un jour maigre!

– Un jour comme celui-ci, l'Église impose un seul et unique repas, sans une miette de viande ni une goutte de vin, intervint l'abbé Martinet.

– Mademoiselle de Fontanges est convalescente! le coupa le docteur Morin en haussant le ton. Son état nécessite une nourriture saine et abondante. J'ai donc prescrit trois repas par jour, avec de la viande à chacun d'eux, du vin de Bourgogne rond, épais et riche en tanins, des légumes et des fruits cuits. Pas de salade ni de fruits crus, dont l'acidité échaufferait la bile. Et des pâtisseries à volonté, mais sans excès!

– Du calme, Messeigneurs, je vous en prie! gronda Alexandre Bontemps. En tant que premier valet de chambre de Sa Majesté, je suis ici pour faire respecter ses ordres, qui sont les suivants: Mademoiselle de Fontanges devra suivre en tout point les conseils de son médecin, quel que soit le jour, attendu que sa bonne santé est, pour l'heure, la seule chose qui importe au roi. Toutefois, Sa Majesté demande que le docteur Morin et l'abbé Martinet découpent et examinent la volaille pour en extraire les morceaux les moins gras.

– C'est une bien maigre consolation pour moi, protesta le prêtre.

– Eh bien, l'abbé! Puisque, selon vous, tout doit être maigre aujourd'hui, vous vous en contenterez! ironisa le médecin en commençant à découper la poularde.

Angélique s'impatientait:

– Faites comme bon vous semblera, Messieurs,

mais rappelez-vous d'une chose : j'ai horreur de manger froid !

Sur ce, elle fit volte-face et, suivie d'Alix, retourna dans sa chambre.

Déjà, les valets s'affairaient dans le petit salon vert et mauve, où ils avaient dressé une table pour deux personnes.

La jeune duchesse se laissa tomber dans un fauteuil et soupira longuement.

– Alix, dit-elle en invitant son amie à s'asseoir près d'elle. Je sais que j'ai été victime d'un empoisonnement et qu'une mission vous a été confiée pour me sauver la vie... Il y a trois jours, on m'a amené la «bonne femme» que vous avez réussi à débusquer. Sa Majesté m'a avoué qu'il s'agissait de la sorcière Marie-Marguerite Monvoisin, une de ces créatures dont on remplit les cachots de la Bastille. Le roi aurait sans doute préféré la conduire au gibet plutôt qu'à mon chevet ! Je reconnais bien franchement que j'ai eu peur, sur le moment. Mais Sa Majesté avait pris toutes les précautions nécessaires. Il lui avait promis sa clémence si elle parvenait à me guérir ; dans le cas contraire, le bûcher l'attendait. Je me suis donc laissé examiner. J'ai bu ensuite la potion qu'elle avait préparée sous le regard vigilant du docteur Morin, et figurez-vous que le remède a fait son effet! Je suis beaucoup mieux, même si je sens encore au fond de moi cette brûlure intense qui m'a déchiré le ventre pendant toute une nuit. C'était effrayant! On aurait dit que le diable en personne avait établi ses quartiers dans mes entrailles et, dans le plus grand désordre, y réglait ses affaires urgentes...

Angélique se tut, ferma les yeux et appuya sa tête sur le dossier du fauteuil, épuisée par ce mauvais souvenir et le long monologue qu'elle venait de faire.

Inquiète, Alix se leva d'un bond. Mais son amie la rassura:

— Ne vous alarmez pas, ma chère. Je suis lasse, voilà tout. Je vous assure, je me sens mieux. Racontez-moi plutôt comment vous avez mené à bien cette mission. Je suis impatiente de connaître votre aventure dans le moindre détail!

— J'ai peur de vous fatiguer davantage en vous contant tout par le menu, je vous dirai seulement l'essentiel, répondit Alix dans un sourire en se rasseyant. Tout a commencé au cours de la soirée d'appartement, à laquelle ma mère et moi étions invitées. Le roi avait promis de me donner, ce soir-là, des nouvelles de Louis-Étienne. Soudain, Alexandre Bontemps est venu me dire que Sa Majesté m'attendait dans ses appartements privés, où il m'a aussitôt conduite. Le roi et moi avons parlé sans cérémonie, et il m'a informée du mal qui vous rongeait. Il m'a ensuite demandé de l'aider à vous sauver.

– Je vous remercie d'avoir accepté. Le roi avait-il un plan ?

– Sa Majesté était certaine que Marie-Marguerite Monvoisin connaissait les secrets de sa mère, dont elle avait été longtemps la complice. Il pensait aussi qu'elle saurait mieux que quiconque identifier le poison qui vous consumait et trouver l'antidote. Mais lorsque je suis arrivée à la Bastille, j'ai appris que la sorcière venait tout juste de s'évader, après avoir subi un interrogatoire au cours duquel elle avait révélé les noms de certains des nobles clients de sa mère.

– Qui sont-ils ? demanda Angélique avec une soudaine lueur dans le regard, qui réveillait enfin l'éclat de ses prunelles.

– Elle a cité, entre autres, madame de Montespan, votre rivale.

– J'en étais sûre! Il se pourrait même que ce
soit elle qui ait voulu ma perte, elle est si jalouse!
Le roi est-il au courant de cette infamie?

– Sa Majesté sait tout cela, Angélique, et il
en jugera selon son bon plaisir.

Angélique soupira.

– Le roi m'a dit que vous étiez méconnaissable, habillée en homme! reprit-elle au bout d'un
moment. Êtes-vous sûre que la sorcière n'a pas
deviné que vous étiez une fille?

– À dire vrai, je la crois plus fine qu'il n'y
paraît, car elle l'a découvert, en effet... Mais
il était trop tard, elle avait déjà les fers aux
poignets.

– Comment a-t-elle pu comprendre?

– Mes mains m'ont trahie. Tout au long de
ma mission, je portais des gants élimés. Or,
quand tout a été terminé, dans le fourgon qui
emmenait la prisonnière à Versailles, j'ai commis
l'erreur de les ôter. Mes mains lui sont appa-
rues, fines, et surtout trop blanches. Ce détail
ne pouvait échapper à une femme qui a longtemps vécu dans l'ombre de ses riches clientes,

élégantes jusqu'au bout des ongles. Jamais elle n'aurait confondu les mains d'une aristocrate avec celles d'une fille du peuple, et encore moins avec celles d'un homme!

– Vous avez été très courageuse, Alix. Le roi, qui veut vous récompenser, m'a dit qu'il vous attendait cet après-midi à cinq heures pour un entretien privé. Nous avons largement le temps de dîner. Suivez-moi, vous êtes mon invitée!

– Mon invitééééée! répéta Hamilcar.

31

– Bonsoir, Mademoiselle, dit le roi lorsque Alix pénétra dans ses appartements. Comment se porte Madame votre mère? Et votre sœur jumelle, a-t-elle bien supporté la séparation d'avec les visitandines?

– Clémence était heureuse de pouvoir m'aider, mais aussi très inquiète face à cette aventure, qu'elle jugeait dangereuse. Elle a maintenant retrouvé sa place au couvent et se remet doucement des frayeurs que lui a causées notre oncle... le baron de Grenois.

L'air troublé, le roi fronça les sourcils:

– De quoi voulez-vous parler?

– Le baron avait déserté notre maison depuis l'arrestation de Louis-Étienne. Lui qui nous imposait sa présence au moins une fois par jour, s'est fait rare. Toutefois, il s'est rendu à l'hôtel de Maison-Dieu pendant mon absence, alors que Clémence y tenait mon rôle. Notre oncle est un homme rusé, observateur et toujours sur le qui-vive. Il a dû percevoir un regard, une attitude qui ne me ressemblait pas tout à fait... Il faut reconnaître que depuis qu'elle est entrée au couvent, Clémence a un peu maigri. Il a alors cherché à la confondre, et il y est parvenu.

– De quelle manière?

– Cela s'est passé un soir. À sa demande, la marquise et Clémence l'avaient raccompagné dans la cour au moment de son départ. Un valet a amené son cheval, et notre oncle s'est volontairement mis en selle d'une façon très maladroite. Il a éperonné sa monture, qui a fait un bond en avant et s'est cabré en hennissant, juste devant ma sœur. Mon oncle sait qu'elle a toujours eu les chevaux en horreur, à l'inverse de moi, qui les adore. Il est évident que dans une telle situation j'aurais su garder mon sang-froid, alors que Clémence, elle, a été prise de terreur. Le baron avait compris, mais il n'a rien dit. Il s'est contenté de fixer tour à tour ma mère et ma sœur avec un sourire narquois.

– Qu'est-il arrivé ensuite ?

– Rien, Majesté. Tout cela a eu lieu il y a une semaine, et depuis le baron ne s'est plus présenté à l'hôtel de Maison-Dieu. La marquise craint ses absences presque autant que ses visites, je ne vous le cache pas !

– En effet, Mademoiselle, tout cela est fort inquiétant. Je vais dicter une lettre à l'intention de Madame votre mère afin de l'assurer de mon soutien et de ma protection.

Alix n'en croyait pas ses oreilles. Lors de sa première audience, le roi avait défendu le baron, qu'il considérait avec respect comme n'importe lequel de ses fidèles compagnons d'armes. Aujourd'hui, contre toute attente, il paraissait méfiant à son égard...

– Par ailleurs, reprit le roi, je n'ai pas oublié l'engagement que j'ai pris de libérer votre frère, sans autre forme de procès, si vous réussissiez à mener à bien la mission secrète que je vous avais confiée. Vous avez fait un travail admirable, et je vous en félicite. Je tiens toujours mes promesses, aussi ai-je plaisir de vous annoncer que le jeune marquis est libre. À l'heure qu'il est, il est déjà en route pour Versailles.

– Merci, Majesté! Merci du fond du cœur! s'exclama Alix, bouleversée à l'idée de revoir Louis-Étienne dès son retour à l'hôtel de Maison-Dieu. Toutefois, Sire, je tiens absolument à vous prouver son innocence. J'aimerais interroger la fille Monvoisin au sujet des mains de pendu tatouées. Si vous le permettez, nous pourrions considérer cela comme une seconde mission secrète... Puisque la sorcière est toujours retenue au poste de garde du château, je vous supplie de me faire enfermer pour la nuit avec elle. Ma mère ne s'inquiétera pas de mon absence. Je devais loger au château après avoir assisté à la fête donnée ce soir en l'honneur de la guérison de la duchesse de Fontanges. Je réussirai à faire parler la sorcière, j'en suis sûre! Nous apprendrons le nom de l'alchimiste qui fabrique ces reliques répugnantes. La liste de ses clients nous réserve sans doute bien des surprises!

– Mademoiselle de Maison-Dieu, je vous l'ai dit, votre frère est libre, et il ne comparaîtra pas devant ses juges. En ce qui me concerne, cette affaire est classée. Pour quelles raisons, dans ces conditions, tenez-vous tant à courir d'autres dangers ?

– C'est une question d'honneur, Sire !

– Voilà un argument qui force le respect ! Je reconnais là le sens de l'honneur familial qu'avait votre père, dit le roi en souriant. C'est entendu ! Vous voilà de nouveau parmi mes espions d'élite ! Je vais donner des ordres en ce sens à monsieur Bontemps. Il sera à votre entière disposition, tout comme les hommes qui vous ont accompagnée lors de votre première mission...

Le roi fit quelques pas dans son bureau avant de poursuivre :

– Si vous êtes soucieuse de l'honneur du jeune marquis, je le suis encore davantage de sa sécurité... Je ne vous tairai pas plus longtemps la vérité, Mademoiselle. On m'a fait récemment des révélations qui m'inspirent des craintes pour la vie de votre frère.

À ces mots, Alix se leva d'un bond.

– Calmez-vous ! J'ai déjà ordonné une enquête. J'ai bien une petite idée sur l'identité du coupable... Mais, pour l'heure, je ne peux pas vous en dire davantage. De plus, après la bonne nouvelle du retour de votre frère, j'en ai malheureusement une moins agréable à vous annoncer.

Les jambes d'Alix se mirent à trembler, et son teint devint d'une pâleur extrême. Le souverain s'en aperçut et l'invita à se rasseoir. Ensuite, il tenta de la rassurer.

– Le marquis est bien sur la route de Versailles, mais... il ne rentrera pas aujourd'hui à l'hôtel de Maison-Dieu.

– Où ira-t-il ? Et pour combien de temps ?

– Il résidera dans un endroit que j'ai choisi pour lui, jusqu'à ce que tout danger soit écarté. Si ce qu'on m'a raconté se révèle exact, le coupable sera vite arrêté.

– Aurons-nous, ma mère et moi, le droit de rendre visite à Louis-Étienne ?

– Je regrette, pas pour l'instant... Vous pourriez être suivies.

– Puis-je connaître le lieu où séjournera mon frère ?

– Dans la maison du gardien des glacières de Clagny. C'est un homme de confiance, qui veillera au confort et à la sécurité du jeune marquis. Bien entendu, je vous dis cela sous le sceau du secret.

– Très bien, Sire, réussit à articuler Alix, au bord des larmes.

Puis elle se leva et salua Louis XIV qui, d'un geste discret, venait de lui faire comprendre que l'audience était terminée.

– Ah, j'allais oublier ! s'exclama le roi. Revenons à la mission que vous m'avez prié de vous confier... Vous pourriez de nouveau être amenée à vous éloigner de chez vous. Dans ce cas, il serait gênant de demander à votre sœur de quitter une nouvelle fois le couvent pour prendre votre place à l'hôtel de Maison-Dieu. J'ai trouvé une autre solution afin de justifier vos éventuelles absences. Vous aurez désormais une fonction officielle, une rente et votre propre chambre au château... Alix de Maison-Dieu, je vous nomme demoiselle d'honneur de la duchesse de Fontanges !

32

– Scélérat! s'écria Marie-Marguerite Monvoisin en frappant du pied sur le sol du cachot. Sois maudit!

La nuit était tombée. La prisonnière se tenait debout dans la pénombre, la tête rejetée en arrière, ses cheveux en broussaille tombant jusqu'aux reins. De ses yeux rougis elle fixait le soupirail situé à hauteur du plafond.

– Après qui t'en as? lui demanda une petite voix endormie.

Sur la paille, à même le sol, une silhouette enveloppée de haillons se recroquevilla jusqu'à ne plus former qu'une boule. Alix jouait son rôle à merveille.

La Monvoisin alla s'asseoir à côté d'elle en haussant les épaules et la secoua sans ménagement.

— Comment tu t'appelles ?

— Perrine, répondit l'espionne du roi.

— Quelle question ! C'est au roi que j'en veux, ma pauvre Perrine ! En prison, tout le monde le hait... Toi, on dirait bien que c'est la première fois que tu te retrouves derrière les grilles ?

— Ma foi, oui.

— Qu'est-ce que t'as donc fait ?

— Les gardes m'ont attrapée pendant que je ramassais des escargots pour nourrir mes marmots ! C'est interdit de fouiner dans les parterres du parc du château. J'savais pas ! Dame, je suis pas très inquiète, ils envoient pas les femmes aux galères. Au pire, je m'en sortirai avec quelques coups de fouet.

La fausse Perrine s'était un peu dépliée, laissant deviner un visage noirci et des mains terreuses. Elle coula un regard méfiant à sa voisine et ajouta :

— Le malheur, c'est qu'ils ont gardé mon

panier... Dedans, y'avait bien six douzaines de petits-gris! Et toi, pourquoi t'es là?

– Je suis la fille de la célèbre la Voisin. Comme elle, je suis devineresse, astrologue, diseuse de bonne aventure, jeteuse de sorts..., appelle ça comme tu voudras. C'est du moins ce dont on m'accuse! Mais, à dire vrai, j'ai jamais eu le goût de la sorcellerie. C'était ma mère qui m'obligeait; j'obéissais, c'est tout. J'avais bien trop peur qu'elle ne m'empoisonne comme les autres... beaucoup d'autres!

– Qu'est-ce que tu fais ici? s'étonna Alix. Les sorciers, on les met à la Bastille ou à Vincennes, pas ici, au poste de garde du château de Versailles!

– Figure-toi, mon p'tit, qu'on avait besoin de mes services en haut lieu. Dans l'entourage proche du roi... T'as déjà entendu parler de la nouvelle favorite, la belle Angélique de Fontanges?

– Ça, pour sûr! Encore une de ces pimbêches qui croquent à belles dents l'argent qu'on se tue à gagner pour payer l'impôt!

– Tout juste. Eh bien, je l'ai vue d'aussi près que je te vois là! Une vraie beauté, tu peux me croire!

Marie-Marguerite leva une fois de plus le visage vers le soupirail et ferma les yeux. Par l'ouverture parvenait l'odeur âcre de la fumée des feux de Bengale qui crépitaient dans le parc du château. Si sa mission n'avait pas été aussi importante à ses yeux, Alix aurait regretté de ne pouvoir assister à la fête magnifique qui s'y déroulait.

– Je vais tout te raconter, ajouta la fille Monvoisin d'un ton solennel.

Feignant d'être soudain prise de panique, l'espionne s'écarta de la sorcière :

– Non, je préfère rien savoir, j'ai bien assez de mes ennuis ! Laisse-moi dormir... Et tu devrais en faire autant...

– Dormir ? s'étrangla la Monvoisin. Alors que la Fontanges est là, tout près, à se pavaner en robe de cour au bras du roi, à manger du sorbet à la rose et des pâtes de fruits en admirant les feux d'artifice !

– Arrête de brailler comme ça, souffla Alix. Tu vas ameuter les gardes !

– Pff ! À l'heure qu'il est, ils sont tous dehors à profiter du spectacle...

– Et à manger mes escargots... C'est égal, j'en ai rien à faire de tes histoires de harpie !

– Tu vas m'écouter quand même! lança Marie-Marguerite.

Elle attrapa sa compagne par le bras et ajouta :

– Le secret qui me brûle, va bien falloir que je le dise à quelqu'un!

– Va vomir tes ragots ailleurs! fit Alix en se débattant. Ça se voit dans tes yeux que tu es une sorcière! Tu pues le malheur, la mort et le diable! J'ai pas envie d'entendre tes racontars! Je veux pas qu'on me prenne pour ta complice! Qu'est-ce qu'ils vont devenir sans moi, mes deux loupiots? Leur père est mort de la fièvre, l'an passé. Qui c'est qui va aller gagner leur pain si je reste enfermée ici à cause de tes diableries?

Furieuse, Marie-Marguerite empoigna la jeune femme et en moins de temps qu'il n'en faut pour le dire, la plaqua au sol, s'assit à califourchon sur son ventre et lui prit le cou entre ses longues mains.

Alix tenta de se dégager, mais la sorcière resserra son étreinte. Dans son regard on pouvait lire une farouche détermination : elle n'hésiterait pas une minute à l'étrangler!

– Par ma foi, si tu bouges ou si tu dis encore un seul mot, je t'envoie rejoindre ton homme au paradis!

— C'est bon, je vais t'écouter... Lâche-moi!

Presque à regret, la Monvoisin libéra sa victime et se remit debout, le dos appuyé au mur, les yeux écarquillés, le regard fixe.

À moitié étranglée et morte de peur, la fausse Perrine se traîna avec peine à l'autre extrémité du cachot.

Se roulant de nouveau en boule sur la paille, elle réussit à articuler :

— Alors?

— Je lui ai sauvé la vie...

— De qui tu parles?

— De la Fontanges, parbleu! T'écoutes pas ce qu'on te dit! aboya Marie-Marguerite.

— La belle affaire! Elle ne doit même plus s'en souvenir.

— Peu importe. J'ai fait ce qu'on m'a demandé, et maintenant j'attends ma récompense.

— Qu'est-ce qu'on t'a promis?

— La clémence royale! Mais le roi est un beau parleur qui ne tient pas ses promesses. Voilà-t'y pas qu'il y met une condition supplémentaire! Il veut que je lui donne le nom d'un sorcier, un de ceux qui sont encore en liberté. Une sorte d'alchimiste, qui embaume des mains de pendu et qui les tatoue d'une couronne sur la paume, juste sous l'index, à l'endroit du mont de Jupiter... Jamais vu ni entendu parler de ça chez les sorciers ! Non, ces diableries-là sont l'œuvre d'un fou !

– T'en es sûre ?

– Les sorciers, je les connais bien, tu peux me croire ! Les mains de pendu, c'est monnaie courante, mais pas un seul alchimiste ne signerait son ouvrage. Ce serait le meilleur moyen de se faire prendre ! Si le roi s'imagine qu'ils sont assez bêtes pour ça, il se trompe ! Sais-tu ce que représente le mont de Jupiter ?

– Ma foi, non ! répondit Alix.

– L'ambition, la vanité, la réussite ! Et une couronne, en plus ! Celui qui signe de la sorte a la folie des grandeurs ! Ma parole, il veut monter sur le trône, rien de moins !

La sorcière poussa un long soupir avant de reprendre :

– J'ai déjà dit tout ça au roi, mais il ne m'a pas crue. Il a donné l'ordre de me garder ici jusqu'à tant que je me décide à avouer. Quand je pense que j'avais réussi à m'évader de la Bastille et que je me suis laissé reprendre !

– Ça alors! T'as réussi à sortir de la forteresse! Comment c'est possible?

– Je vais sûrement pas éventer mon secret pour tes beaux yeux. Si j'y retourne un jour, j'ai bien l'intention de profiter du filon une deuxième fois!

– Et qu'est-ce que t'as donc fait pour être reprise?

– Juste après mon évasion, trois espions du roi sont partis à ma recherche. Et le pire, c'est que l'un des trois lascars était une fille.

– Non!...

– Si, ma belle! Personne n'avait rien vu, et quand je m'en suis aperçue, j'étais pieds et poings liés, dans le fourgon qui m'emmenait à Versailles!

– Ça alors! s'exclama Alix en se recroquevillant un peu plus. Jamais j'aurais pensé que le roi enrôlait des donzelles. Elle était jolie, au moins?

– Ma foi, oui! Et il faut voir comme les deux autres lui obéissaient! Au doigt et à l'œil! À coup sûr, c'était elle, le chef de la bande... Ventre bleu! Si je la tenais, celle-là!

33

Le lendemain matin, dès son retour à l'hôtel de Maison-Dieu, Alix annonça à la marquise et à Léontine les bonnes nouvelles dont le roi lui avait fait part la veille, et ne put s'empêcher de révéler où se trouvait le refuge du jeune homme. En revanche, elle préféra ne pas évoquer sa deuxième mission. Pourquoi affoler sa mère une fois de plus, alors que désormais son emploi de demoiselle d'honneur lui procurait le moyen idéal de justifier son absence de la demeure familiale? Cela représentait un leurre parfait pour Henri-Jules et un gage de tranquillité pour Clémence et la marquise.

Pourtant, Catherine de Maison-Dieu restait fébrile.

– Tu dis que le roi craint pour la vie de Louis-Étienne... Il habitera donc chez le gardien des glacières de Clagny jusqu'à nouvel ordre, répétat-elle machinalement en arpentant le petit cabinet particulier où elle avait fait entrer Alix et la servante.

La jeune fille était heureuse de se retrouver chez elle, dans cette pièce au décor pastel qu'elle aimait par-dessus tout, et qui lui rappelait un peu l'appartement d'Angélique de Fontanges. Elle était tout de même soucieuse pour son frère et triste de constater à quel point cette situation rendait sa mère malheureuse.

– J'ai de la peine à savoir mon fils à deux pas de chez nous sans que nous puissions lui rendre visite ! reprit la marquise en se laissant tomber dans un fauteuil.

– C'est une question de sécurité, Mère. Si nous étions suivies, la cachette de Louis-Étienne serait découverte.

– Si Madame le permet, je pourrais y aller de temps en temps, proposa Léontine, le regard plein d'espoir. Personne n'aurait l'idée de suivre une simple servante! J'apporterais à Monsieur le marquis quelques douceurs préparées tout exprès pour lui... Du pâté de brochet, de la tourte aux pigeonneaux et des sablés à la cannelle bien dorés, avec de la confiture de mûres... La cuisine du gardien des glacières est peut-être meilleure que la tambouille de la Bastille, mais je suis certaine qu'elle n'est pas si bonne que la nôtre!

– Non, Léontine! répliqua Alix. Sois patiente, et surtout pas un mot! Nous devons obéir aux ordres du roi. Retourne vite en cuisine et prépare-nous un bon dîner, je meurs de faim. Ne t'inquiète pas, Louis-Étienne reprendra bientôt la place qui est la sienne, et celui qui menace notre famille sera embastillé. Le roi a ordonné une enquête, dont les conclusions seront vite connues.

En disant cela, la jeune fille ne put s'empêcher de penser à sa propre mission...

Une fois la servante partie, Alix et la marquise restèrent silencieuses et pensives. Toutes deux ne se connaissaient qu'un ennemi: Henri-Jules.

34

À la même heure, au château de Versailles, dans un petit logement au deuxième étage de l'aile du midi, le baron explosait de rage :

– Quoi ! Louis-Étienne de Maison-Dieu a été libéré cet après-midi ? Tu en es certain ?

Sans perruque et chaussé de pantoufles de satin mauve, Henri-Jules marchait à grandes enjambées. À chaque pas, le peignoir assorti à ses chaussons s'ouvrait, découvrant des mollets de coq surmontés d'un haut-de-chausses trop court, élimé et crasseux. Il vint se planter devant son informateur, attendant une réponse à sa question.

– Aussi sûr que je m'appelle Blaise, Monsieur le baron ! C'est mon cousin par alliance, du côté de ma mère, qui gardait la porte de son cachot... Une fameuse sentinelle, celui-là ! Suffit de lui payer à boire, et il vous raconte tous les potins de la forteresse ! Comme dit ma mère...

– Assez ! Tais-toi et va-t'en !

Henri-Jules fouilla dans la poche de son peignoir et lança une pièce d'or à l'homme, qui l'attrapa au vol et ne se fit pas prier pour filer. Une fois la porte claquée, le baron se remit à arpenter la pièce en maugréant :

– C'est une infamie ! Est-il possible d'établir une lettre de cachet et de faire embastiller un coupable, pour l'élargir aussi rapidement ! Décidément, le roi n'est qu'un pantin sans aucune suite dans les idées !

Se ravisant soudain, il ouvrit la porte et se précipita dans le couloir sur les traces de celui qu'il venait de congédier. Ne voyant personne, il courut jusqu'à l'escalier et se pencha pour regarder par-dessus la rampe.

– Blaise ! Remonte tout de suite ! cria-t-il. J'ai de l'ouvrage pour toi !

Tout en bas, la tête de l'homme apparut dans l'espace étroit de la cage d'escalier.

Henri-Jules retournait à grands pas vers la porte de son logement quand il croisa une toute petite femme qui sortait de chez elle. C'était la vieille comtesse de Crussol. L'air hautain et le cheveu blanc, elle était vêtue comme une jeune fille, d'une robe rose bonbon et bleu pervenche. Comme à son habitude, elle s'était abondamment aspergée de parfum, de manière à masquer les mauvaises odeurs qu'elle traînait partout après elle. Le baron fronça le nez :

— Sapristi ! Cette vieille truie se parfumera donc toujours les aisselles à la fricassée d'oignons !

Après quoi, il rentra chez lui et attendit Blaise.

— Me voilà, Monsieur ! Il était temps ! J'allais sortir quand...

— Assez de bavardages ! Assieds-toi et écoute.

Probablement vexé par le regard en coin et la moue dégoûtée de la comtesse à la vue de sa tenue négligée, Henri-Jules mit à la hâte une perruque. Il s'efforça aussi de se composer un visage plus aimable.

— Vois-tu, dit-il d'une voix qui se voulait douce, j'ai du mal à croire que le jeune marquis soit libre à l'heure qu'il est. Va donc te promener

aux alentours de l'hôtel de Maison-Dieu... Reste
là-bas le temps qu'il faudra, plusieurs jours si
cela est nécessaire. Montre-toi discret, mais
ouvre l'œil ! Je dois savoir si mon neveu est bien
de retour chez lui. Et tiens-moi bien au courant
de tout, sinon tu auras affaire à moi !

Blaise se leva et, tout en se dirigeant vers la
porte, il risqua une question :

— Et mes gages ?

— Ils seront à la hauteur des renseignements
que tu m'apporteras. N'aie crainte, je ne suis pas
un ingrat. Maintenant, file !

Une fois seul, le baron enleva sa perruque et
se regarda longuement dans le miroir accroché
au mur.

— J'aurai donc fait tous ces efforts en pure
perte ! murmura-t-il, des larmes de colère au
bord des paupières. Je demanderai une audience
au roi. Il m'entendra, c'est sûr ! Il écoute toujours ses vieux compagnons d'armes ! Je ne peux
accepter que tous mes espoirs soient ruinés...
Non, je ne me laisserai pas détruire ! Jamais je
ne renoncerai !

35

Le lendemain matin, à neuf heures, Alix se réveillait doucement quand on frappa à la porte de sa chambre.

– Entrez !

– Bonjour, Mademoiselle, le petit déjeuner est servi ! lança gaiement Léontine en entrant d'un pas décidé.

Deux valets la suivaient, portant une table chargée de victuailles, qu'ils placèrent près de la fenêtre.

– Il fait très beau et vous avez une lettre de mademoiselle Clémence ! ajouta la servante avec un sourire bienveillant.

Alix repoussa vivement draps et couvertures et se leva d'un bond pour saisir le pli que Léontine lui tendait.

– Quand l'a-t-on apportée?

– Le messager est arrivé alors que les six heures n'avaient pas encore sonné. Mais j'ai préféré vous laisser dormir encore un peu. Après toutes les émotions que vous avez eues hier, vous étiez lasse, je l'ai bien vu au dîner. Vous disiez mourir de faim, et pourtant vous n'avez rien mangé!

Alix alla s'asseoir dans le petit fauteuil installé face à la table et, comme à son habitude, elle tourna la lettre dans ses mains avant de l'ouvrir. Sans savoir pourquoi, elle avait l'étrange sensation qu'après l'avalanche de nouvelles de la veille une autre surprise l'attendait...

– ...Voilà pourquoi je vous ai préparé un petit déjeuner un peu plus consistant qu'à l'ordinaire, poursuivit la servante, toute guillerette. Vous avez là du bon bouillon de veau et du pain blanc, comme il se doit. J'ai rajouté pour vous les douceurs que vous préférez: du chocolat bien chaud, des brioches aux raisins blonds, une poignée de croustillants à l'anis vert, quelques feuilletés au...

Mais Alix ne l'entendait plus. Elle avait enfin brisé le cachet de cire qui fermait la lettre et ses yeux parcouraient les mots que sa sœur avait écrits pour elle...

Soudain, son visage s'illumina d'un magnifique sourire. Elle plaqua la feuille de papier sur son cœur, au milieu des volutes de dentelles qui ornaient le corsage de sa chemise de nuit et, transportée de joie, elle se leva pour embrasser Léontine :

– Vite, mon écritoire ! Je dois répondre à Clémence !

– Pas avant d'avoir avalé quelque chose, Mademoiselle. Regardez-moi ces sablés aux épices, dorés à souhait, et ces beaux fruits confits ! Allons, soyez raisonnable ! Asseyez-vous et mangez !

La tête dans les nuages, Alix but une grande tasse de chocolat et la servante fut étonnée de la voir croquer une si grande quantité de gâteaux. Après quoi, elle se dirigea vers son petit secrétaire.

Le cérémonial de l'écriture était toujours le même. D'un geste caressant, la jeune fille effleura le papier et vérifia la pointe de sa plume d'oie. Aujourd'hui, il n'était pas nécessaire d'en tailler une neuve. Elle souleva donc le couvercle de l'encrier, y trempa délicatement la plume et commença à écrire...

Très chère Clémence,

Quelle joie de te lire ! Je m'apprêtais à t'écrire pour t'annoncer une grande et heureuse nouvelle : nous avons réussi ! Louis-Étienne est enfin libre ! Le roi a respecté ses engagements, et, hier, il a tenu à m'en informer lui-même. Notre mère s'en réjouit, et toute notre maison avec elle.

Par ailleurs, et pour répondre à la question qui te préoccupe, sache que je ne t'en veux aucunement d'avoir réagi comme tu l'as fait quand le cheval d'Henri-Jules s'est emballé. Tu n'as pas à te sentir coupable, et je souhaite que tu oublies au plus vite cette mésaventure.

Ainsi, notre cousin Antonin t'a écrit ! J'en suis surprise et ravie à la fois. Il est vrai qu'il avait mani-festé le désir de te connaître lorsque nous avions parlé ensemble, au cours de la réception au château de Versailles. Mais je ne pensais pas qu'il solliciterait aussi rapidement l'autorisation de te rencontrer.

J'ai cru percevoir dans ta lettre une sorte de

méfiance à son égard. Surtout, ne sois pas inquiète. Il a beau être le fils du baron, il ne lui ressemble pas plus que le jour ressemble à la nuit. Si cela peut te rassurer, je viendrai au couvent demain après-midi pour faire les présentations. De plus, j'ai une foule de choses à te raconter.

À demain donc.

Ta sœur qui t'aime

36

Antonin se présenta bien avant Alix au parloir
du couvent de la Visitation. Lorsqu'elle arriva à
son tour, les présentations étaient déjà faites, et
Clémence paraissait tout à fait en confiance
avec son cousin. Alix, quant à elle, fut encore
plus émue qu'à leur première rencontre. Il lui
vint même à l'idée qu'elle était plus impression-
née face à son cousin qu'en présence du roi!

Si Clémence portait l'habit sévère des postulantes de son ordre, Alix s'était un peu maquillée
et avait choisi pour l'occasion une tenue qui
mettait sa beauté particulièrement en valeur. Sa

robe était composée d'une jupe en satin brodée de fleurs rose tendre et jaune paille sur un lumineux fond blanc à reflets bleutés, et le manteau était coupé dans une étoffe plus mate, d'un magnifique bleu lavande. Ses cheveux étaient relevés et entremêlés de rubans rappelant les couleurs de la robe.

Une ambiance gaie et détendue régnait dans la salle austère, meublée d'une table, de bancs de bois foncé et de chaises paillées. Sous le regard amusé de la mère supérieure, la conversation roulait avec vivacité d'un sujet à un autre. Après un moment, ils en arrivèrent tout naturellement à parler du nouvel emploi d'Alix.

– Demoiselle d'honneur d'Angélique de Fontanges ! souffla Antonin. Toutes mes félicitations !

Une novice apporta trois grands verres d'une délicieuse boisson au jus de rhubarbe, fabriquée par les religieuses du couvent, et se retira, suivie de la mère supérieure.

Les trois cousins en furent pour le moins surpris.

– Est-il convenable de laisser seuls, au parloir d'un couvent, un jeune homme et ses deux cousines ? demanda Clémence en souriant.

– D'autant que l'une des deux est postulante ! renchérit Alix en riant. Mon cousin, comment se fait-il que vous ayez autant de crédit auprès de la mère supérieure ?

– Je n'en ai pas la moindre idée. Je ne l'avais jamais vue avant aujourd'hui !

Au bout d'une heure, Antonin se leva.

– Mesdemoiselles, je dois vous quitter, j'en suis navré !

Puis, se tournant vers Clémence, il ajouta très respectueusement :

– J'ai été très heureux de faire votre connaissance, ma chère cousine. Je reviendrai bientôt, soyez-en sûre, car je ne saurais me priver longtemps du plaisir de votre conversation.

Son regard glissa ensuite sur Alix et se fit plus caressant :

– Auriez-vous l'amabilité de m'accompagner jusqu'à la porte du couvent ?

– Avec joie, répondit la jeune fille, dont les joues avaient légèrement rosi.

Laissant Clémence retourner à ses activités, ils traversèrent le cloître et s'engouffrèrent sous le porche, se dirigeant vers la grande porte cochère. Le bruit de la rue Saint-Antoine s'amplifiait à

mesure qu'ils approchaient du seuil. La sœur
tourière fit tourner la clef dans la serrure. Ils
sortirent dans la foule bruyante et firent
quelques pas en direction de la place Royale.

– Votre voyage en Normandie s'est-il bien
déroulé? demanda Alix.

– Le mieux du monde.

– Où logez-vous durant votre séjour à Paris?

– À deux pas d'ici, rue Payenne, chez mon
père, que je n'ai d'ailleurs pas encore vu... Je
n'ai aperçu que mon frère Léonard. Figurez-
vous qu'il vient d'obtenir une charge à la cour!
Il passait chercher ses effets personnels avant
de s'installer à Versailles pour prendre ses fonctions. Le bougre a encore engraissé! Sa courtisa-
nerie le pousse sans doute à vouloir ressembler
au dauphin!

Alix ne put s'empêcher de sourire.

– Comment se porte votre grand-mère? pour-
suivit-elle, pour retarder le plus possible l'heure
de la séparation.

Antonin afficha un air grave, qui fit craindre
à Alix de mauvaises nouvelles de la comtesse de
Saint-Hymer.

– Elle va aussi bien que son grand âge le lui
permet. Je vous remercie de vous préoccuper de

sa santé, qui est, ma foi, assez bonne. Elle a surtout une excellente mémoire, et... elle m'a révélé
des choses bien extraordinaires sur la mort de
ma mère. Je n'ai pas eu le temps de la connaître
vraiment puisqu'elle a disparu quand j'avais
trois ans. Je garde d'elle peu de souvenirs. Je
sais seulement qu'elle était fort belle...

– C'est bien ainsi que ma mère me l'avait
décrite. Mais qu'entendez-vous par « des choses
bien extraordinaires » ?

– Le décès de ma mère cache un sinistre
secret familial, que ma grand-mère était seule à
connaître. Mais, aujourd'hui, elle ne l'est plus.
Elle a tout dévoilé au roi, en audience privée,
lors de son séjour à Versailles, et ensuite elle s'est
confiée à moi, pendant le voyage du retour sur
ses terres de Normandie.

Alix était au comble de l'étonnement :

– Rien de plus normal que la comtesse vous
ait fait certaines révélations. Mais en quoi cette
histoire de famille concernerait-elle le roi ? Et
pourquoi me dites-vous tout cela, à moi ?

– Si ma grand-mère s'est enfin décidée à
parler, après quinze années d'un silence obstiné,
c'est parce qu'elle a la certitude qu'un danger
réel et immédiat menace plusieurs membres de

notre famille et... il s'agit de personnes qui vous sont très proches, Alix.

La jeune fille en resta muette de stupéfaction.

— Je suis désolé, ma très chère, fit Antonin en embrassant la main de sa cousine. Je vous en dirai plus la prochaine fois que nous nous rencontrerons. Il est grand temps pour moi de prendre congé, je suis déjà en retard...

— Vous ne m'en direz donc pas davantage! Vous me condamnez à vivre dans l'angoisse jusqu'à ce que vous consentiez enfin à me livrer la clef du mystère! Comment pourrai-je dormir paisiblement, Monsieur, après tout ce que vous m'avez conté? Jurez-moi que nous nous verrons très bientôt!

— Puisque je suis désormais responsable de votre sommeil, vous avez ma parole de gentilhomme!

Profondément troublée, Alix revint frapper à la porte du couvent.

— Où puis-je trouver Clémence? demanda-t-elle à la sœur tourière.

— À cette heure, elle doit se trouver à la lingerie, le petit bâtiment à droite en sortant dans le jardin.

La jeune fille longea de nouveau le porche, puis les arches du cloître et poussa la porte qui menait au réfectoire. Ensuite, elle traversa un petit corridor qui s'ouvrait par une porte vitrée sur un très grand terrain. La partie attenant au couvent était un jardin d'agrément parfaitement entretenu, auquel faisait suite un magnifique potager. Aucun bruit ne parvenait de la rue. On percevait juste le gazouillis des oiseaux et, plus lointain, le chant des moniales dans la chapelle. Alix s'étonna que sa sœur ne lui ait jamais parlé de ce havre de paix aux parfums de fleurs et d'herbe fraîchement coupée.

En contournant les arabesques de buis taillé du jardin à la française, elle se dirigea vers la maisonnette située un peu plus loin sur la droite.

– J'avais peur que tu ne partes sans m'embrasser ! s'écria Clémence en la voyant entrer.

– Peux-tu quitter ton ouvrage quelques minutes ? Il faut absolument que je te parle.

– Bien sûr ! Que se passe-t-il ? Tu as l'air bouleversée ! s'inquiéta Clémence.

Elle déposa une pile de linge délicatement parfumé à la lavande sur la grande table de chêne qui occupait le centre de la pièce et ajouta :

– Viens, sortons !

Au lieu de flâner parmi les massifs de rosiers du jardin d'agrément, les deux jeunes filles se dirigèrent vers le potager. Tout en parcourant les allées, entre les carrés de poireaux, de choux et de fraisiers remontants, Alix racontait à sa sœur ce qu'elle ne lui avait pas dit dans sa lettre : le séjour de Louis-Étienne aux glacières de Clagny ; les raisons invoquées par le roi pour justifier cette semi-liberté ; les terribles révélations, auréolées du plus grand mystère, qu'Antonin lui avait faites.

Les deux jeunes filles s'étaient arrêtées entre deux rangs de poiriers en espalier qui bordaient des carrés de salades. Le teint de Clémence était livide au point de ressembler à la couleur de son habit de postulante.

– Avant que tu n'arrives, tout à l'heure, lâcha-t-elle, Antonin et moi avons longuement parlé. De son enfance chez sa grand-mère en Normandie, de son frère Léonard, un peu de sa mère, et surtout d'Henri-Jules. Il est rare de voir un garçon détester son père à ce point ! Mais il dit avoir de bonnes raisons pour cela.

Clémence se cacha le visage dans les mains et éclata en sanglots :

– Dieu nous vienne en aide, Alix ! Je ne peux m'empêcher de penser au baron et à sa manière de s'acharner sur notre frère ! En plus... je suis persuadée que tu ne me dis pas tout.

– Je ne te cache jamais rien, répondit Alix, très mal à l'aise.

À l'instant même, Clémence sut que c'était un mensonge, et elle pleura de plus belle.

Alix, qui était sur le point de céder et de raconter à sa sœur le but de sa nouvelle mission, y renonça définitivement en voyant Clémence plongée dans un si grand désarroi.

Sa sœur avait raison. Il y avait un rapport certain entre le terrible secret de famille que son cousin lui avait laissé entrevoir, la menace qui planait sur Louis-Étienne, le baron de Grenois et, peut-être aussi, sa propre quête... Restait à trouver lequel.

37

En sortant du couvent, Alix était résolue à désobéir au roi pour la première fois. Sa décision était prise, et son plan déjà prêt. Pour le réaliser, il lui fallait regagner Versailles et attendre sagement que le jour décline.

Quand elle arriva à l'hôtel de Maison-Dieu, tout était calme. La marquise devait être en visite chez l'une de ses amies, et les domestiques en profitaient pour se reposer.

Alix fila dans sa chambre, envoya valser ses chaussures à talons et, au prix de nombreuses contorsions, délaça seule son corset. Après s'être déshabillée à grand-peine, elle passa une robe simple et légère.

Pieds nus, elle monta le plus discrètement possible l'escalier qui menait au grenier. C'est là qu'elle avait caché ses fripes d'aventurière, dans un coffre enfoui au milieu d'un fameux bric-à-brac de malles en tout genre. En marchant, la jeune fille sentait sous la plante des pieds la fraîcheur des tomettes et les picotements des brindilles de paille éparpillées çà et là.

Elle se trouva bientôt devant un monticule de paniers, de caisses et de malles. Elle n'eut aucune difficulté à trouver son coffre, qu'elle emporta dans sa chambre en prenant bien soin de ne croiser personne.

Elle déposa son fardeau dans la garde-robe, au fond de la baignoire dissimulée derrière un rideau, et sonna Léontine.

La servante arriva en courant quelques minutes plus tard.

– Faites excuse, Mademoiselle, je m'étais endormie. Vous comprenez...

Elle s'interrompit en voyant la tenue d'Alix :

– Ça, par exemple ! Qui vous a aidée à changer de tenue ? Pourquoi ne m'avez-vous pas appelée ?

– Je suis rentrée plus tôt que prévu, et j'ai bien pensé que tu te reposais. Alors, je me suis débrouillée seule.

– Quelle misère ! Ce travail-là est bien trop fatigant pour vous ! Madame la marquise sera furieuse après moi si elle apprend que je vous ai laissée vous tortiller dans tous les sens pour enlever ce fichu corset !

– Léontine, calme-toi. Ma mère n'en saura rien, et puis tu as le droit de te reposer, comme tout le monde. En revanche, j'aimerais que tu m'apportes quelque chose à manger. Je me sens très lasse après toutes les émotions que nous avons eues hier et, pour ne rien te cacher, je n'ai pas dormi de la nuit.

– Tout comme moi, marmonna la servante.

– Je voudrais donc me coucher sitôt après avoir pris une collation et faire une bonne nuit. Tu diras à ma mère que je ne dînerai pas ce soir, et... surtout qu'on ne me dérange pas.

– Bien, Mademoiselle. Je vais donner des ordres en cuisine, et je reviens préparer votre lit.

Pendant ce temps, Alix enleva les rubans de couleur qui maintenaient harmonieusement sa coiffure, et la masse de ses boucles brunes retomba sur ses épaules.

Assise à sa table de toilette, face au miroir, elle entreprit de se démaquiller et de se brosser les cheveux. Son visage lui apparut étrangement pâle... Avec cette mine-là, Léontine ne pouvait pas douter de sa fatigue !

Pourtant, au fond d'elle-même, la jeune fille ressentait une joie si intense qu'elle crut que son cœur allait éclater ! Au diable les ordres du roi ! Dans quelques heures, elle serrerait Louis-Étienne dans ses bras...

38

Personne ne l'avait suivie, Alix en était absolument certaine. La nuit commençait à tomber quand elle arriva à l'orée du Bois des Glacières, juste derrière l'étang de Clagny. Il lui avait fallu environ trente minutes de marche à pied pour parvenir jusque-là. En tournant à droite, elle quitta le grand chemin de Marly et suivit une allée étroite, mais fort bien entretenue, qui serpentait entre des parcelles boisées et des champs. L'automne était là, et le feuillage des arbres se teintait d'or et de rubis. Alix avançait en respirant à pleins poumons, grisée par les senteurs exhalées par la forêt au crépuscule. Bientôt, elle aperçut les trois glacières aux toits de chaume et, à côté, la petite maison du gardien. Tout était clos.

La jeune fille s'arrêta un moment et observa. La nuit était maintenant presque noire. Pourtant, à l'une des fenêtres, elle remarqua une mince lueur qui filtrait entre les planches disjointes des volets.

En se dirigeant vers la porte, Alix se prit le pied dans une petite branche desséchée, qui se brisa bruyamment. Elle perdit l'équilibre, fit un vol plané et atterrit le visage dans la poussière. Bien qu'un peu endolorie, elle se releva sans peine et poursuivit son chemin dans la pénombre. Alertés par le bruit, les chiens du gardien des glacières se mirent à hurler, et la porte s'ouvrit à la volée.

— Qui va là? lança la silhouette sombre qui se découpait dans le cadre lumineux.

La voix était forte et grave, l'homme paraissait immense et suffisamment large d'épaules pour impressionner et mettre en fuite n'importe quel maraudeur.

— Qui va là? Répondez ou je fais feu! menaça-

t-il d'une voix encore plus tonitruante en bran-
dissant un pistolet.

— Alix de Maison-Dieu, la sœur du jeune
marquis, votre... pensionnaire.

— Passez votre chemin, y'a personne d'autre
que moi ici.

Malgré la menace de l'arme pointée sur elle,
la jeune fille continuait à avancer :

— Je vous dis que je suis la sœur de Louis-
Étienne ! Je viens le voir ! Je sais qu'il est chez
vous. Le roi lui-même me l'a dit. N'ayez pas
peur, je suis seule, et je n'ai pas été suivie. Je
vous en prie, laissez-moi entrer !

— Pas question ! Y'a personne...

L'homme ajustait son tir quand quelqu'un se
précipita sur lui par-derrière, l'obligeant à détourner son arme. Alix reconnut aussitôt son frère.

— Ne tire pas, Joseph ! s'écria Louis-Étienne
en bousculant le gardien pour courir à la rencontre de la jeune fille. C'est bien elle, j'ai
reconnu sa voix !

Ils se jetèrent dans les bras l'un de l'autre
sous le regard médusé du gardien. Ainsi, le
rôdeur que le jeune marquis serrait avec tant de
ferveur dans ses bras, était sa sœur !

De manière à en être tout à fait sûr, il courut chercher une torche pour éclairer cette scène insolite.

Un moment plus tard, après des retrouvailles fort émouvantes, ils étaient tous trois attablés devant un verre de vin brûlant.

– Du vin chaud alors que nous sommes à deux pas de plusieurs glacières ! Avouez que c'est amusant ! plaisanta Alix.

– C'est qu'elles sont vides, Mademoiselle. Juillet et août ont été particulièrement torrides, cette année. On a dû fournir deux fois plus de glace qu'à l'ordinaire aux cuisines royales. Car je précise que les glacières que vous avez aperçues en arrivant, sont uniquement réservées au roi. Enfin, si on veut ! La marquise de Montespan a l'autorisation de se fournir ici quand les glacières de son château de Clagny sont vides. Elle ne s'en prive pas, croyez-moi ! Et je ne vous parle pas des charretiers qui font de la contrebande...

– Qu'entendez-vous par là ? interrogea Alix

– Ils vendent la glace du roi pour leur propre compte ! Entre les glacières et le château, ils s'arrêtent au bord de la route à chaque fois qu'on les hèle, et échangent une partie de la cargaison contre de bonnes pièces qui disparaissent à jamais au fond de leurs poches!

– Le roi ne les punit pas? demanda Louis-Étienne.

– Ma foi, non! Figurez-vous qu'au moment où ils arrivent au palais, si quelqu'un s'étonne que tant de glace ait pu disparaître en chemin, les charretiers ont le culot de répondre qu'elle a fondu! Qu'est-ce que vous voulez dire à ça? Tout le monde vole le roi, et à bien des niveaux, croyez-moi... Tenez, les bougies, par exemple...

– Si tu nous faisais plutôt visiter une de tes glacières, mon bon Joseph? Je suis sûr que cela plairait beaucoup à ma sœur!

– À cette heure! Il y fait noir comme dans un four!

– Nous prendrons chacun un flambeau, intervint Alix, enthousiasmée à cette idée.

– Si ça vous chante! C'est bon, allons-y.

Chacun muni d'une torche, ils partirent donc en procession jusqu'à la première glacière. Alix fut surprise de voir qu'elle ressemblait à une minuscule chaumière aux murs très épais. Sur la façade, il n'y avait que trois portes, une petite et deux grandes, et pas de fenêtre.

Le gardien attrapa une clef suspendue à un clou planté dans le mur.

— Vous n'avez pas peur que quelqu'un vous la vole ? s'inquiéta Alix.

— On peut toujours la prendre ! Pour l'instant, y'a pas le moindre glaçon à chaparder dans la cuve.

La clef tourna dans la serrure de la petite porte, et le battant s'ouvrit en grinçant. « On dirait l'entrée d'un tombeau... », pensa Alix en frissonnant.

Il est vrai qu'en pleine nuit, à la lueur tremblante des flambeaux, la situation avait quelque chose de sinistre.

Ce fut Joseph qui sortit Alix de son angoisse :

— Attention, Mademoiselle, le rebord n'est pas large, et le puits est très profond. Ne vous penchez pas, surtout. De toute façon, même avec nos torches, on n'en verrait pas le fond.

— C'est donc là que le roi entrepose sa glace, dit-elle, un peu rêveuse.

Certes, la jeune fille avait à de nombreuses reprises dégusté des sorbets et des boissons fraîches, sans toutefois chercher à savoir d'où venait la glace, que la marquise de Maison-Dieu payait d'ailleurs fort cher.

– Et comment fait-on pour la conserver?
demanda-t-elle, intriguée.

– C'est tout simple, Mademoiselle, répondit
le gardien en bombant le torse, fier que des
aristocrates s'intéressent à son ouvrage. L'hiver,
quand l'étang de Clagny est bien gelé, on casse
la glace avec des pics de manière à en faire des
blocs. On les entasse ensuite dans la cuve de la
glacière en prenant bien garde à boucher tous
les espaces avec de la neige. Voyez-vous, s'il y
avait des poches d'air, la glace fondrait plus
vite! On intercale couches de glace et lits de
paille. Toujours de seigle, la paille! Elle pourrit
beaucoup moins vite que celle de blé. On remplit ainsi tout le puits à ras-bord. On termine
avec de la paille, sur laquelle on pose des
grosses planches et des pierres pour bien tasser
l'ensemble. Moi qui vous parle, j'ai vu la glace
se conserver pendant deux ans, de cette
manière! Enfin, ces années-là, on n'avait pas eu
un été comme celui-ci!

Lorsqu'ils retournèrent dans la maison du
gardien, il se rendirent compte qu'il était trop
tard pour qu'Alix reparte seule. Louis-Étienne
n'avait pas l'autorisation de sortir, et Joseph ne

devait pas quitter son protégé... Il fut donc décidé que la jeune fille resterait jusqu'au matin.

Il faisait à peine jour quand elle quitta son frère, après avoir passé la nuit à parler avec lui. Elle lui raconta tout ce qui s'était passé depuis son arrestation.

– Sois très prudent, lui dit-elle avant de pousser la porte. Je pense que le roi a de bonnes raisons de craindre pour ta vie. J'ai pris de gros risques pour te rendre visite. On aurait pu me suivre... C'est pourquoi je ne pourrai pas revenir te voir.

Louis-Étienne baissa la tête avec un regard d'enfant triste.

– J'en serai aussi malheureuse que toi, crois-moi! Et je ne te parle pas du chagrin de notre mère. Elle n'osera jamais braver un interdit royal comme je l'ai fait cette nuit... Ah! Une dernière chose... Sais-tu où se trouve, dans le château de Versailles, le logement du duc d'Esternay, le grand ami d'Henri-Jules?

– Il me semble qu'il se situe dans l'aile du midi, au deuxième étage, mais j'ignore où exactement. Charles, le fils du duc, ne m'y a jamais emmené, et le château est si vaste ! Pourquoi cette question ?

– J'ai un étrange pressentiment... C'est bien Charles, le fils du duc, qui a perdu cette main de pendu dans notre cour. Quant au baron, il est à l'origine de ton arrestation et de ta mise au secret, à cause d'une de ces reliques macabres, qu'il avait glissée dans ta poche ! Je te rappelle aussi que notre mère a percé à jour ses velléités de vengeance, sa soif de pouvoir, de titres et de fortune... D'ailleurs, depuis qu'elle lui a assené ses quatre vérités, on ne le voit plus guère à l'hôtel de Maison-Dieu !

Alix laissa échapper un long soupir avant de reprendre :

– Je me demande dans quelle direction chercher, mais je trouverai, je te le jure. En attendant, sois courageux ! Nos pensées t'accompagnent, et Clémence prie pour toi.

39

– Ah! Te voilà, tout de même! Canaille! hurla Henri-Jules.

Armé de sa canne à pommeau d'argent, il fit mine de frapper son informateur, qui venait d'entrer dans l'appartement du duc d'Esternay.

– Bougre d'âne! fulmina le baron. Où étais-tu passé? Cela fait une semaine que je t'attends, jour et nuit! Pourquoi n'as-tu donné aucune nouvelle?

– C'est que... j'en avais point, Monsieur. Mille excuses, bredouilla l'autre en tenant son chapeau à deux mains devant sa poitrine comme un bouclier.

Il n'osait pas regarder son interlocuteur dans les yeux : cela aurait pu passer pour de l'arrogance... Il se contentait donc de fixer le plancher tout en surveillant du coin de l'œil le moindre geste du baron.

La suite lui prouva qu'il avait raison d'être méfiant...

Dans un élan fou, Henri-Jules, ivre de rage, lui lança sa canne à la tête avec une violence inouïe. Le pauvre Blaise eut tout juste le temps de se baisser. La canne frôla ses cheveux et traversa la pièce à une vitesse prodigieuse. Le pommeau d'argent alla heurter une fenêtre et fracassa une vitre.

– Regarde ce que tu me fais faire, espèce d'idiot ! Heureusement, le duc vit en ce moment à Paris, dans son hôtel de la place Royale. J'aurai le temps de faire réparer les dégâts avant qu'il ne revienne.

Il inspira à fond et poursuivit :

– Et tu crois sans doute que je vais t'engraisser à rien faire ! Vaurien !

– Justement, Monsieur, si je suis venu cet après-midi, c'est que j'ai du nouveau !

– Alors, parle !

– Eh bien, voilà... J'ai pas aperçu une seule fois le jeune marquis. Allez savoir, peut-être qu'il est toujours en prison...

– Imbécile! C'est toi-même qui m'as appris la nouvelle de sa libération, grinça Henri-Jules en attrapant Blaise par l'oreille. Rappelle-toi, le geôlier de la Bastille, ton cousin... du côté de ta mère... Si tu as menti, tu t'en repentiras!

– J'ai dit la vérité vraie, Monsieur le baron!

– Alors, si mon neveu n'est pas chez lui, c'est qu'il se cache quelque part. Dis-moi... La marquise est-elle souvent sortie de chez elle depuis une semaine? Et où est-elle allée?

– Ma foi, elle est venue une fois au château, rendre visite à madame de Maintenon. Ensuite, elle est allée à Paris, au couvent des Visitandines, pour voir sa fille. Elle a reçu aussi la visite de quelques vieilles dames que je ne connais point.

– Et sa fille?

– Laquelle, Monsieur?

– Celle qui n'est pas cloîtrée, imbécile!

Les yeux de Blaise se mirent à briller.

– Ah! La belle brunette qui monte si bien à cheval? dit-il d'un air enjoué.

Le baron frappa du pied sur le sol:

— Je ne te paye pas pour jouer les jolis cœurs!
Où est-elle allée?

— Elle se rend tous les jours chez Angélique
de Fontanges et va de temps à autre faire des
promenades à cheval dans les bois de Satory.

— La peste soit de ces femelles! Elles me
rendront fou!

Après un instant de réflexion, il demanda :

— Et les domestiques?

— Ils sont assez nombreux, mais ils ne bou-
gent guère des communs, sauf pour aller aux
gargotes de la place du marché, dès qu'ils ont
un moment de libre... Il y a bien cette femme...
Léontine. J'ai entendu un laquais l'appeler
comme ça. Par trois fois, je l'ai vu aller vers les
glacières de Clagny. Elle emporte toujours un
grand panier... À mon avis, elle doit avoir un
galant parmi les gaillards qui travaillent là-bas!

Henri-Jules fronça les sourcils et se mit à marcher de long en large en se frottant le menton :

— Sûrement, Blaise... Tu as sûrement raison,
tes renseignements ne sont pas bien fameux,
mais, comme je suis bon prince, je te donne un
écu. Tiens, attrape!

D'une seule main et d'un geste précis, l'informateur saisit la pièce au vol et fit tournoyer son chapeau en guise de révérence.

– Merci, Monsieur le baron! Monsieur le baron est trop bon.

Après quoi, il se dépêcha de filer.

Dès qu'il fut seul, Henri-Jules afficha un grand sourire. Il rectifia sa tenue, ajouta un peu de poudre sur son long nez pointu et du vermillon sur ses joues creuses. Il tenta d'ajuster sa perruque, qu'il avait une fâcheuse tendance à porter de travers. Ce jour-là, elle était brune et s'accordait parfaitement avec son habit bleu saphir. L'ensemble lui donnait une allure plus impitoyable encore que la tenue mauve et la tignasse blonde qu'il portait le plus souvent.

Puis il se dirigea vers une armoire, d'où il sortit une panoplie d'outils. Il ouvrit ensuite un petit coffre encastré dans un mur, dont la porte était dissimulée par une tapisserie. Il fourragea dedans et finit par faire glisser quelque chose dans la poche intérieure de son justaucorps. L'air satisfait, il remit les outils à leur place, se regarda une dernière fois dans le miroir et sortit de l'appartement avec un regard perfide, plus aiguisé et cruel que jamais...

Une vingtaine de minutes plus tard, le baron arrivait en chaise à porteurs à l'hôtel de Maison-Dieu. Jacques lui apprit fort aimablement que la marquise et sa fille étaient sorties.

— Je les attendrai donc, fit Henri-Jules d'un air hautain.

— Mais, Monsieur, c'est qu'elles ne rentreront pas avant deux heures, au moins !

— Je tâcherai de me montrer patient...

Il entra alors d'autorité dans le grand salon et se laissa tomber sur un canapé moelleux. Le serviteur lui apporta un flacon de liqueur de pêche et des fondants à la bergamote. Pendant qu'on remplissait son verre, le baron s'allongea sans façons, la tête calée sur des coussins et les pieds croisés sur un accoudoir.

— D'ordinaire, c'est Léontine qui reçoit les visiteurs de Madame la marquise. Est-elle sortie, elle aussi ? demanda-t-il.

— Non, Monsieur. Elle est en cuisine. Dois-je lui dire que vous désirez la voir ?

— Je n'ai nul besoin d'elle. Je m'étonnais seulement de son absence. Tu peux disposer, Jacques! Retourne à ton ouvrage.

Le domestique salua et sortit.

Vautré sur le divan, Henri-Jules sirotait sa liqueur et savourait l'instant présent. Le moment n'aurait pas pu être mieux choisi...

40

– Mathilde! Viens donc surveiller les pains, ils sont presque cuits! Mademoiselle Alix aime que la croûte soit dorée, mais pas sèche; alors souviens-toi bien pour la cuisson, ni trop ni trop peu! Et, dès la sortie du four, pense à les brosser pour enlever l'excédent de farine. Je monte me reposer un peu avant le retour de Madame la marquise. Si tu as besoin de moi, je serai...

– Dans ta chambre! plaisanta l'autre servante.

Léontine partit, le sourire aux lèvres, entraînant avec elle une bonne odeur de pain chaud.

– Tout de même! J'espère que cette fois-ci, je me réveillerai à temps pour aider ma maîtresse à changer de tenue! Bah! Elles sont parties en carrosse. J'entendrai bien le fracas des roues et des sabots quand il entrera dans la cour! marmonna-t-elle en montant l'escalier.

Comme toutes celles des domestiques, sa chambre était située sous les toits. Arrivée au troisième étage, elle soupira d'aise, heureuse de pouvoir enfin prendre un peu de repos.

Mais, en ouvrant sa porte, elle vit que la chambre était dans un désordre indescriptible. L'armoire avait été fouillée et vidée de son contenu, qui s'étalait sur le sol. Les draps avaient été arrachés de la paillasse, la table de toilette renversée, le broc, la cuvette et le miroir cassés. Elle voulut crier mais une main se plaqua avec force sur sa bouche, étouffant son cri, tandis qu'une autre lui tordait un bras derrière le dos... Elle était paralysée de peur et de douleur. Seuls ses yeux allaient de droite à gauche, cherchant à apercevoir l'agresseur. Elle fut alors projetée à plat ventre sur le lit, et l'homme referma la porte d'un violent coup de pied.

– Bonsoir, Léontine, dit-il d'une voix sourde.

Cette voix, elle la connaissait... Le baron de Grenois!

La servante se remit debout aussi vite qu'elle put et tenta à nouveau de hurler. Mais avant qu'elle ait pu ouvrir la bouche, il l'attrapa par les cheveux et lui siffla à l'oreille:

— Si tu cries, je dirai au roi que tu es la complice d'un voleur caché dans les glacières de Clagny! Un brigand que tu protèges et nourris aux frais des Maison-Dieu! As-tu une petite idée de ce qu'il adviendra alors de toi?

La pauvre Léontine sursauta. Le coup avait porté...

— Je ne connais pas de voleur, bredouilla-t-elle.

Elle tremblait de la tête aux pieds, et ses jambes ne la portaient plus. Quand Henri-Jules la lâcha enfin, elle tomba à genoux sur le linge qui jonchait le sol.

— Cela m'étonnerait beaucoup! J'ai de bons informateurs, et ils ne m'ont sûrement pas trompé... La preuve! Regarde ce que j'ai trouvé dans ton armoire, caché sous une pile de draps!

Le baron plongea la main dans la poche intérieure de son justaucorps, et en sortit, serré entre le pouce et l'index, un gros rubis taillé en forme de poire:

– Dans une armoire, sous une pile de linge! reprit-il. Ma pauvre fille! Voilà bien un endroit où il faut éviter de cacher ses trésors! Décidément, tu n'es pas bien maligne.

– Je sais pas d'où vient ce bijou! Je l'ai jamais vu... C'est la vérité! se défendit la servante.

– Dans ce cas, dis-moi pourquoi je l'ai trouvé chez toi. Avoue! Qui te l'a donné?

– Personne! J'ai jamais vu ce caillou.

– Si tu t'obstines à mentir, ce n'est pas en prison que tu iras. J'insisterai pour que le roi te fasse enfermer à l'hospice, avec les folles! C'est ça que tu veux?

Léontine pleurait à chaudes larmes et n'avait plus la force de répondre.

– En revanche, si tu te confies à moi, je garderai le silence sur toute cette affaire. Je conserverai le rubis, naturellement... En me taisant, je te sauve la vie. Cela mérite bien une petite récompense, n'est-ce pas?

Avant de partir, le baron empoigna de nouveau les cheveux de la malheureuse, lui renversa la tête en arrière et lui décocha un violent coup de poing en plein visage. La servante s'écroula sur le sol. À demi inconsciente, elle entendit à peine ce qu'il lui déclara avant de partir :

– Au revoir, Léontine. Je te promets de revenir bientôt. Tu as trois jours pour me dire qui se cache dans les glacières de Clagny.

Henri-Jules sortit de l'hôtel de Maison-Dieu sans que personne ne le remarque. À son grand mécontentement, il ne trouva pas de chaise à porteurs à louer, et dut rentrer à pied au château de Versailles. Tout en marchant, il jouait du bout des doigts avec le rubis enfoui dans une des poches de son justaucorps et sifflotait avec l'air le plus gai du monde. Ce soir, il était invité au jeu du dauphin et ne pensait plus qu'à la tenue qu'il porterait pour cette grande occasion.

Il était fourbu quand il arriva chez lui. L'heure avait tourné, il ne voulait pas être en retard chez le dauphin. Il alluma un petit chandelier et quitta en toute hâte l'habit bleu saphir qu'il portait pour revêtir une tenue vert émeraude, qu'il jugeait plus adaptée à la circonstance. Après un instant de réflexion, il bondit jusqu'au miroir et décida aussi de changer de perruque, trouvant que des cheveux châtain clair conviendraient mieux qu'une crinière brune.

Voyant que, malgré sa diligence, il allait tout de même arriver le dernier chez le dauphin, il donna un coup de pied rageur dans son habit bleu, qu'il avait laissé choir sur le sol.

Il souffla les bougies et partit en courant sans s'apercevoir qu'un petit objet rouge et brillant s'était échappé de sa poche et avait roulé sur le tapis.

41

Le lendemain après-midi, comme chaque jour
et ainsi que l'exigeait sa charge de demoiselle
d'honneur, Alix se trouvait chez Angélique de
Fontanges.

– Le Roi! aboya soudain un garde alors que
la porte à double battant de l'appartement de la
duchesse s'ouvrait en grand.

Alix et la favorite exécutèrent chacune leur
plus belle révérence.

Louis XIV, qui tendait la main à Angélique,
sursauta, entendant derrière lui :

– Rrrrrelevez-vous!

Le roi se retourna en riant :

— Merci, Hamilcar! J'allais justement ouvrir la bouche pour le dire.

— Garrrrrde à vous! ajouta le perroquet, la tête relevée, les ailes bien serrées et les pattes tendues pour essayer de se grandir.

— Sire, vous gagneriez peut-être à nommer cet oiseau commandant en chef de vos armées! plaisanta la jeune duchesse.

— À moins que je ne le fasse enfermer dans un de mes cachots pour vols à répétition, répondit le roi, le sourcil froncé.

En disant cela, il s'était approché du perchoir et, par jeu, présentait son index au perroquet pour qu'il le pince.

— Voyons un peu si Hamilcar sera, aujourd'hui encore, à la hauteur de sa réputation de fieffé voleur! Bel oiseau, quels trésors nous as-tu rapportés de tes promenades? poursuivit le souverain. Savez-vous, Mesdemoiselles, que cet animal affectionne particulièrement le parterre du Midi? Lors de mes promenades dans le parc, je l'ai vu à plusieurs reprises voleter le long de la façade du château et se percher sur les corniches.

Il plongea alors une main dans la mangeoire et en ressortit une poignée de graines. Alix et son amie s'approchèrent.

Dans la main gantée du roi, au milieu des grains de maïs, il y avait une sorte d'amalgame assez peu ragoûtant. Trois petites plumes rouges, un morceau de dentelle carmin, un beau bouton recouvert de satin grenat et un fin ruban de velours incarnat, le tout aggluliné autour d'une cerise confite, collante à souhait.

Comme d'habitude, tout était rouge.

– Beau travail, Hamilcar! déclara Alix le plus sérieusement du monde en caressant l'oiseau sous le cou.

– Au voleurrrrr! s'exclama le perroquet, outré qu'on lui confisque son butin.

– Oh! s'exclama Angélique. Ce petit bouton grenat me fait penser à ceux que le duc d'Aubergenville collectionne sur le visage! Le pauvre homme essaie de les dissimuler sous une épaisse couche de fard blanc et colle sur chacun d'eux une mouche de taffetas noir. Cela les rend encore plus visibles! On dirait une galette brûlée posée sur un dôme de crème fouettée!

Tout le monde éclata de rire.

– Et cette guipure carmin? se moqua Alix en décollant le bout de dentelle de la cerise confite pour la porter à son nez et la sentir avec une moue dégoûtée. Ne dirait-on pas qu'elle a appartenu à la comtesse de Crussol?

– Permettez, dit le roi en approchant son nez bourbonien.

La jeune fille lui tendit la dentelle avec un sourire en coin.

– Hum! Je crois effectivement reconnaître le fumet que cette pauvre vieille comtesse, au demeurant très respectable, promène dans son sillage.

Puis, se tournant vers Hamilcar, il ajouta:

– Mon cher, vous avez fort mauvais goût! La cour ne manque pourtant pas de jeunes et jolies femmes délicatement parfumées. Elles seraient ravies, j'en suis sûr, de vous abandonner une parcelle de leurs broderies fines pour vos collections privées!

Le roi rit de bon cœur avant de reprendre:

– Ah! Mesdemoiselles, j'étais venu vous inviter à une promenade en calèche dans mes jardins, mais il me semble que vous êtes davantage d'humeur à jouer aux devinettes! Je vous en poserai donc une.

Le roi ouvrit alors l'autre main et montra aux deux jeunes filles la trouvaille la plus prestigieuse qu'il venait de faire dans l'écuelle du perroquet.

— Vous qui êtes si perspicaces quant à l'origine des trésors de notre cher Hamilcar, poursuivit-il, sauriez-vous me dire d'où provient cette... rareté?

Angélique poussa un cri d'admiration tandis qu'Alix sentit ses jambes se dérober sous elle et dut faire un effort surhumain pour ne pas tomber, évanouie.

Au creux de sa main, le souverain tenait une magnifique pierre précieuse. Alix l'avait aussitôt reconnue! Elle en était absolument certaine, ce rubis se trouvait au centre du collier de sa mère, celui qu'elle avait été obligée de vendre pour payer la dette de jeu de Louis-Étienne. Il était remarquable par sa taille en forme de poire...

42

Ce soir-là, Alix quitta un peu plus tôt que d'ordinaire le service de la duchesse de Fontanges.

Dans la cour de l'hôtel de Maison-Dieu, la jeune fille descendit prestement de sa chaise à porteurs. Elle courut jusqu'au perron en relevant le devant de sa robe et gravit les marches à toute allure.

La marquise, qui l'avait vue arriver et qui était intriguée par tant de précipitation, quitta le grand salon pour aller à sa rencontre.

— Mère, j'ai des choses de la plus haute importance à vous révéler, haleta Alix lorsqu'elles se rejoignirent dans le vestibule. Puis-je vous parler en privé?

— Je te trouve bien agitée, s'inquiéta la marquise. Allons dans mon cabinet particulier.

Elle prit sa fille par le bras et l'entraîna dans le grand escalier.

— Quelles sont les nouvelles de Léontine? demanda Alix en montant.

— La malheureuse souffrait trop depuis hier. J'ai préféré prendre l'avis du docteur Cartier. Tu l'as manqué de peu, il vient juste de partir.

Catherine de Maison-Dieu poussa un long soupir.

— Léontine a le nez cassé, reprit-elle, décontenancée. Je ne comprends pas comment elle a pu faire un tel plongeon en glissant dans l'escalier. Elle est encore sous le choc, et parfaitement incapable de raconter ce qui s'est passé. Quand je pense que ni Jacques, ni personne ne l'a entendue tomber! Sais-tu qu'elle a dû remonter seule les marches qu'elle venait de dévaler? Elle se souvient seulement d'avoir eu un malaise en arrivant dans sa chambre. Elle s'est écroulée, entraînant la table dans sa chute; son nécessaire de toilette s'est brisé en tombant. Cela n'explique pas pour autant qu'on ait retrouvé tout son linge par terre !

Devant l'air soucieux d'Alix, la marquise la prit par la main :

– Ne t'inquiète pas, ma chérie. Le docteur Cartier l'a très bien soignée, et elle souffre déjà moins. Elle doit seulement garder la chambre pendant quelques jours. Tu pourras aller la voir dès que tu m'auras fait part des choses importantes qui t'ont poussée à grimper quatre à quatre les marches du perron !

Catherine ouvrit la porte de son petit salon privé, et toutes deux s'y enfermèrent.

Troublée, Alix raconta l'affaire du rubis retrouvé dans la mangeoire du perroquet d'Angélique. La marquise se plaqua les mains sur la bouche, en proie à un grand désarroi.

– Qu'a-t-il bien pu arriver à ce malheureux collier pour qu'on en retrouve les pierres éparpillées ? murmura-t-elle, au bord des larmes.

Alix revoyait le bijou au cou de madame d'Hémonstoir, la femme du banquier, le jour où elle avait accompagné Louis-Étienne à l'académie d'escrime... Bien sûr, pour ne pas inquiéter sa mère, elle n'avait pas soufflé mot de cet incident...

— Monsieur d'Hémonstoir ne devait-il pas garder le collier jusqu'à ce que vous soyez en mesure de le racheter? demanda-t-elle.

— En effet! C'est précisément pourquoi je ne comprends pas ce qui a pu se passer. Je dois voir le banquier sur l'heure!

La marquise se leva et tira un cordon relié à la sonnette de l'office. En l'absence de Léontine, ce fut le valet qui se présenta.

— Jacques, dit-elle en griffonnant un billet sur le coin d'une table, va immédiatement chez monsieur d'Hémonstoir. Dis-lui bien que l'affaire est d'importance et que je l'attends ce soir même. Voici son adresse.

— Puis-je vous parler, Madame la marquise? demanda l'homme avec respect.

— Pas maintenant, je n'ai pas le temps.

— Mais, Madame..., se permit-il d'insister.

— Nous verrons cela demain, Jacques.

Et elle tendit le billet au serviteur, qui, résigné, la salua avant de sortir.

43

Deux heures plus tard, à la nuit tombante, l'attelage du banquier s'arrêtait devant le perron de l'hôtel de Maison-Dieu. L'air soucieux, monsieur d'Hémonstoir suivit Jacques au premier étage. Il entra dans le petit salon baigné par la lumière douce et dorée des bougies.

La marquise l'attendait avec impatience.

– Mes hommages, Madame, dit-il, un peu essoufflé.

– Bonsoir, Monsieur. Si je vous ai prié de vous déplacer à cette heure tardive, c'est que j'ai une chose bien extraordinaire à vous apprendre.

– Vous m'inquiétez, Madame.

— Il y a de quoi être inquiet, en effet. Figurez-vous qu'Alix a vu de ses yeux le gros rubis taillé en forme de poire qui se trouvait en pendentif au centre du collier que je vous ai... confié! À votre avis, comment cela a-t-il pu arriver?

La marquise remarqua l'extrême pâleur et l'air accablé du banquier.

— Il s'agit à n'en pas douter d'une autre pierre, dit-il en se tordant les mains. Votre fille se sera... trompée. Avec tout le respect que je dois à Mademoiselle Alix, naturellement.

— Ma fille connaît le collier, et elle a formellement reconnu cette pierre.

— Où l'a-t-elle vu?

— Entre les mains du roi.

— Le roi? C'est impossible!

— Monsieur d'Hémonstoir, vous étiez le meilleur ami de mon défunt mari, et vous avez toute ma confiance, reprit Catherine, un brin d'agacement dans la voix. Je vais donc vous poser une question à laquelle je vous demande de répondre avec franchise: où est le collier de rubis?

Tout à coup, les yeux du banquier se remplirent de larmes; il tomba à genoux devant la marquise en sanglotant.

— Reprenez-vous, Monsieur, voyons! lui dit-elle en l'aidant à se rasseoir dans son fauteuil.

— Je vais tout vous dire, Madame. Si vous saviez... si vous saviez comme j'ai honte!

À ce moment-là, on frappa à la porte. Alix entra.

Monsieur d'Hémonstoir parut affolé et la marquise tenta de le calmer.

— Vous pouvez parler sans crainte, affirma-t-elle. Cette affaire concerne ma fille autant que moi, puisque ce collier est son héritage.

Le banquier voulut commencer son récit, mais il était si ému qu'aucun son ne sortit de sa bouche. Il se racla bruyamment la gorge... En vain. Il dut se résoudre à parler d'une voix saccadée, oscillant entre les graves et les aigus, aussi douloureuse pour lui que désagréable pour son auditoire.

— Au cours de l'agression qui a coûté la vie à mon épouse, le collier a été volé, car ce jour-là... elle le portait au cou.

— Comment cela se fait-il? demanda la marquise, essayant de contenir sa colère. Ce joyau ne devait-il pas rester en lieu sûr?

— Si fait. Mais ma femme, qui avait vu le collier dans mon coffre, m'avait supplié de l'autoriser à le porter, une ou deux fois seulement. Bien entendu, j'avais refusé! Alors, elle s'était mise à pleurer, comme rarement elle l'avait fait auparavant, et cela m'avait troublé. Madame d'Hémonstoir était une furie à ses heures, mais elle savait à merveille jouer sur les sentiments. Surtout avec moi... «Oh! Mon cher mari, m'a-t-elle dit, je suis si laide à regarder! Cette épouvantable loucherie me défigure. Personne ne pose les yeux sur moi sans avoir envie de rire, à moins qu'on ne ressente à mon égard une pitié qui me dégoûte. Vous savez que je suis malade, et puis je perds la vue... Certains jours, j'en arrive à ne plus distinguer que des ombres! Oh, mon mari adoré, pour quelque temps encore, j'aimerais apercevoir, ou au moins sentir, le regard des autres se poser sur moi avec respect et envie grâce à ce magnifique collier, ce serait un grand réconfort. Je sens que ma fin est proche. Vous ne pouvez pas me refuser ce dernier plaisir!...» Voilà pourquoi j'ai cédé à ce caprice, Madame la marquise.

Le banquier se remit à pleurer et soupira longuement en cherchant un peu de compassion dans les yeux de ses interlocutrices.

Seule Alix parut touchée par cet étrange récit.

– Poursuivez, dit sèchement la marquise.

– Je vous ai tout dit. Je n'ai jamais revu le collier, mais je suis prêt à vous rembourser le double de sa valeur si seulement vous consentiez à me pardonner ! Et... si j'osais, Madame, je vous proposerais de m'épouser afin de mettre toute ma fortune à vos pieds...

Le banquier tomba de nouveau à genoux devant Catherine.

– N'y pensez pas, Monsieur. Lorsque je vous ai demandé de me venir en aide, à propos de la dette de mon fils, vous avez payé ce collier à sa juste valeur. Vous en étiez donc le propriétaire et, par conséquent, vous ne me devez rien.

– Mais, Madame...

– Certes, sur le plan sentimental, le préjudice est immense, le coupa la marquise, et je suis seule à savoir à quel point. Mais les sentiments ne s'achètent pas, Monsieur d'Hémonstoir. Même si vous me donniez dix fois, cent fois sa valeur, rien ne saurait me consoler de la perte définitive de ce joyau...

44

Le lendemain matin, Alix était fermement décidée à passer à l'action. Elle devait savoir d'où le perroquet rapportait son butin.

Toute la nuit, les idées s'étaient bousculées dans sa tête avec tant de confusion qu'il lui avait été impossible de trouver le sommeil. C'était à n'y rien comprendre : le terrible secret qu'Antonin avait promis de lui révéler... la menace de mort qui planait encore et toujours sur Louis-Étienne... le rubis retrouvé par le roi... le vol du collier...

Tout était soudain devenu si compliqué ! Alix avait eu le sentiment de s'éloigner de son but premier. En effet, il y avait maintenant plusieurs jours qu'elle avait juré au roi de prouver l'innocence de son frère en trouvant l'origine des mains de pendu. Elle était bien obligée de reconnaître qu'avec cette avalanche de faits nouveaux son enquête n'avait guère avancé.

Avant de se rendre chez Angélique de Fontanges, la jeune fille soigna particulièrement sa toilette. Elle choisit la robe qu'elle préférait entre toutes, celle qu'elle portait lors de sa première audience chez le roi. Elle se maquilla un peu plus qu'à l'ordinaire pour raviver son teint trop pâle et atténuer les cernes mauves que lui avaient infligés une nuit blanche et beaucoup de larmes versées.

Elle soupira en repensant à sa sœur, et l'envie de pleurer lui serra de nouveau la gorge. Clémence lui manquait si cruellement que ni le temps ni les circonstances ne pouvaient adoucir la douleur de la séparation. Cette nuit, enroulée dans un peignoir de velours abricot, à la lumière des chandeliers qui faisaient danser sur les murs des ombres gigantesques, Alix lui avait écrit une lettre pour l'informer des derniers événements.

Quand la jeune fille arriva au château de Versailles, la matinée était bien entamée. Elle espérait que la duchesse de Fontanges, qui se couchait toujours très tard, ne serait pas encore éveillée malgré l'heure tardive.

Alix entra dans l'appartement d'Angélique où, à sa grande surprise, régnait une singulière agitation. La favorite était non seulement réveillée, mais aussi vêtue à ravir, fardée et délicatement parfumée. Sa robe de soie vert amande virevoltait au milieu des domestiques affairés à empaqueter la vaisselle et le linge, à rouler les tapis et à porter de lourdes malles. La duchesse avait un mot pour chacun et affichait un sourire lumineux.

Alix la trouva rayonnante et se demanda quelle était la raison d'un bonheur aussi évident et d'un si grand remue-ménage.

Apercevant son amie, Angélique accourut.

– Mademoiselle de Maison-Dieu! Comme je suis heureuse de vous voir! Figurez-vous que je déménage! Le roi est venu m'annoncer ce matin que les appartements qu'il a fait aménager pour moi étaient enfin prêts!

– En quoi puis-je vous être utile? demanda la jeune fille.

– Ma chère, j'aimerais que vous preniez soin de mon perroquet. Le pauvre chou ne sait plus qui pincer, ni quelle impertinence inventer, tant il est affolé !

Alix regarda en direction du perchoir. Hamilcar se tenait droit, les ailes écartées, les yeux écarquillés et, dès qu'un serviteur passait à sa portée, il lui débitait toutes les insultes qu'il avait en mémoire.

Les deux jeunes femmes observèrent un instant son manège et ne purent s'empêcher de rire.

Tout comme Angélique, mais pour des raisons différentes, Alix était au comble de la joie : une idée venait de germer dans son esprit... Puisque la duchesse lui demandait de veiller sur Hamilcar, elle allait en profiter pour agir sans plus attendre. Elle s'approcha du perroquet en lui parlant à voix basse, mais quand elle voulut le caresser, l'animal protesta énergiquement :

– Baaaaas les pattes !

Tout en continuant à le flatter, Alix décrocha la chaîne dorée qui attachait l'oiseau à son perchoir. Hamilcar sauta aussitôt sur son épaule en criant :

– Garrrrrde à vous !

Les domestiques se retournèrent et le regardèrent d'un air moqueur. Vexé, le perroquet détourna la tête, se redressa et lança d'une voix suraiguë :

– Horrrrrs de ma vuuuuue !

...déclenchant une tornade d'éclats de rire.

Alix sortit de l'appartement de la favorite et descendit dans la cour intérieure, où quelques jardiniers arrosaient des fleurs en vasques et rectifiaient la taille des orangers en pots. Le perroquet toujours sur son épaule, elle poussa une porte et traversa un corridor, dans lequel elle croisa quelques courtisans hautains, au regard à la fois interrogateur et méprisant. Elle arriva dans la cour des princes et, parmi la foule des promeneurs venus visiter les jardins du roi, elle s'engagea sous un porche. Celui-ci menait au magnifique parterre du Midi, dont Hamilcar raffolait... le roi lui-même l'avait dit !

– Maintenant, mon bel oiseau, murmura-t-elle, montre-moi où tu déniches les trésors que tu rapportes dans ta mangeoire.

Alix ôta le petit anneau relié à la chaîne qui enserrait la patte de l'oiseau. Impatient de s'envoler, Hamilcar battait des ailes et lui labourait les épaules avec ses griffes.

Une fois libéré, le perroquet s'éleva dans les airs. Un peu plus loin, il fondit sur un massif où s'épanouissaient les dernières roses de la saison et attrapa au passage quelques pétales rouges. Il reprit ensuite son élan, vola vers l'ouest et disparut dans le bosquet du Labyrinthe tout proche.

– Volaille de malheur! maugréa la jeune fille.

Se prenant les pieds dans sa robe de cour, elle courut jusqu'à l'entrée du Labyrinthe, où elle s'arrêta, perplexe: comment retrouver un oiseau dans ce dédale de petites allées sinueuses?

Alix en était là de ses réflexions quand soudain un éclair vert passa au-dessus de sa tête. Hamilcar filait cette fois vers l'aile sud du château. La jeune fille pressa le pas pour ne pas le perdre de vue. Le perroquet se posa avec grâce sur la corniche de pierre du deuxième étage. De là, et sans la moindre hésitation, il se faufila dans un des appartements par une fenêtre entrouverte.

Alix n'en croyait pas ses yeux: cet oiseau, d'ordinaire si peu sociable, s'introduisait chez des inconnus aussi facilement que s'il rentrait chez sa maîtresse! Elle se planta au milieu du parterre du Midi et compta les fenêtres... Neuf! C'était la neuvième fenêtre en partant de la droite!

Mais, à peine avait-elle fini ses calculs qu'Hamilcar ressortait et arpentait la corniche en se dandinant. Avec autant d'assurance que la première fois, il rentra dans le bâtiment, trois fenêtres plus loin, par une vitre brisée.

Quelques minutes plus tard, le perroquet apparaissait de nouveau. Cette fois, il s'envola au-dessus des toits et prit la direction des appartements d'Angélique de Fontanges.

Alix s'élança vers le château, une seule idée en tête: savoir qui habitait dans les logements qu'Hamilcar venait de visiter...

45

Quand Alix rejoignit les appartements de la duchesse de Fontanges, Hamilcar était déjà là. Il avait repris sa place sur le perchoir doré.

Angélique, quant à elle, avait disparu. À en croire les domestiques, le roi l'avait emmenée passer le reste de la journée au château de Saint-Cloud, chez le duc et la duchesse d'Orléans. Alix avait donc le champ libre...

De peur qu'il ne pince un valet, la jeune fille emporta elle-même le perroquet dans le salon vert et mauve. La pièce, entièrement vidée de ses meubles, de ses tentures et de ses tapis, était devenue triste et sans âme. Mais, là au moins, l'oiseau serait à l'abri du remue-ménage.

La jeune fille décida ensuite d'aller voir Alexandre Bontemps, en espérant qu'il n'avait pas suivi le roi et la favorite dans leur déplacement. Un peu inquiète, elle se dirigea vers le petit bureau dont il disposait, non loin des appartements du souverain.

Elle frappa doucement à la porte; la voix grave du premier valet de chambre lui demanda d'entrer.

Il se leva pour la saluer:

– Bonjour, Mademoiselle de Maison-Dieu. Que me vaut l'honneur de votre venue?

– Monsieur Bontemps, je ne vous cacherai pas que ma visite est intéressée, lui déclara-t-elle avec un sourire aimable.

– Que puis-je pour vous?

– Outre vos fonctions de premier valet de chambre du roi, je sais que vous êtes l'intendant du château de Versailles. C'est à ce titre que je m'adresse à vous.

– Je suis à vos ordres, Mademoiselle. Que désirez-vous savoir?

– J'aimerais connaître le nom des occupants de certains logements du château.

– Où se trouvent-ils?

– Au deuxième étage de l'aile sud. Leurs fenêtres donnent sur le parterre du Midi. Il s'agit de la neuvième et de la douzième fenêtre en partant de la droite.

– Voilà qui est précis! commenta Alexandre Bontemps avec amusement. Dans cette partie du château habitent tous ceux qui ont une charge à la cour et à qui le roi a attribué un appartement plus ou moins grand, selon leur rang. On a coutume de les nommer «les logés». C'est à moi qu'il incombe de répartir ces logements, et je note tout dans les registres que voici. Voyons un peu...

Le premier valet de chambre sortit d'une armoire un gros livre recouvert de cuir noir frappé d'or et le déposa sur son bureau, ployant sous une multitude de dossiers. Il l'ouvrit en son milieu et commença à feuilleter les pages. Puis, l'air soucieux, il alla de nouveau vers l'armoire, d'où il sortit un long rouleau de papier.

– Ce sont les plans de l'aile sud, dit-il à Alix. Puisqu'il s'agit de compter les fenêtres, ils nous seront, dans un premier temps, d'une plus grande utilité que les registres.

Il déroula sur le bureau plusieurs épaisseurs de feuilles, et plaça des presse-papiers à chaque extrémité pour les empêcher de s'enrouler sur elles-mêmes.

Pendant qu'Alexandre Bontemps examinait les plans, la jeune fille observait le décor qui l'entourait. Le bureau du premier valet de chambre de Louis XIV était une pièce minuscule et austère. À peine éclairée du dehors et un peu poussiéreuse, elle était encombrée de monceaux de documents, parfois entassés à même le sol. Alix avait du mal à s'imaginer que celui qui travaillait ici était le confident du roi, l'homme à la fois le plus discret et le mieux informé du royaume.

– Nous y voilà ! annonça-t-il avec fierté.

À son tour, la jeune fille se pencha sur les plans.

– Voyez, Mademoiselle ! La neuvième fenêtre en partant de la droite fait partie du petit logement occupé par madame la comtesse de Crussol. Et, un peu plus loin, nous avons les fenêtres de l'appartement attribué par le roi au duc d'Esternay. Il comprend quatre pièces, dont deux chambres, chacune avec un cabinet de travail privé et une garde-robe.

Alix se redressa vivement. Une immense bouffée d'angoisse venait de l'envahir. Ce que Louis-Étienne lui avait dit revenait à sa mémoire: Henri-Jules et le duc étaient les meilleurs amis du monde...

– Quelque chose ne va pas? demanda le premier valet de chambre, inquiet, en remarquant son teint livide.

– Tout va bien, rassurez-vous! Je vais avoir grand besoin de votre aide, Monsieur Bontemps.

– Pour ne rien vous cacher, Mademoiselle, j'attendais ce moment. Sa Majesté m'a informé qu'une nouvelle mission vous était confiée. Je suis entièrement à votre service. Vous pouvez me demander tout ce que vous voulez. Souhaitez-vous que je fasse appeler les deux agents qui vous ont prêté main-forte pour l'arrestation de la fille Monvoisin?

– Ce ne sera pas nécessaire, merci. Il me faut d'abord pénétrer dans les logements que vous m'avez indiqués. Par n'importe quel moyen!

La jeune fille réfléchit un instant avant de poursuivre:

– Vous connaissez à peu près tout des habitudes des courtisans. Dites-moi, je vous prie, quel est à votre avis le meilleur moment pour entrer chez la comtesse de Crussol et le duc d'Esternay!

– Le duc n'est pas en service auprès du roi durant ce trimestre. Il réside donc en son hôtel parisien; je n'ai pas vu son fils non plus, qui occupe l'appartement de temps à autre. Par conséquent, le logement est vide. En ce qui concerne la comtesse, elle sera ce soir, comme chaque mercredi à partir de sept heures, à la réception que le roi donne dans les grands appartements.

Le premier valet de chambre esquissa un sourire et ajouta sur le ton de la confidence:

– C'est une très vieille dame qui ne manque jamais une occasion de se gaver de pâtisseries et de chocolat aux frais de Sa Majesté! Elle est veuve et sans fortune. Aussi le roi lui a-t-il accordé la faveur d'une petite charge au service de la reine. C'est ce qui explique sa présence au palais.

– Parfait! Je vous demanderais seulement de mettre à ma disposition un passe pour ouvrir les portes et une tenue de servante. Je ne tiens pas à être vue par une amie de ma mère... ou toute autre personne de connaissance.

En disant cela, elle pensait à Henri-Jules, dont elle redoutait la présence au château.

– Très bien, Mademoiselle. Je vais maintenant vous conduire à la chambre qui vous a été attribuée par Sa Majesté, en votre qualité de demoiselle d'honneur. Elle se trouve juste au-dessus des appartements de la duchesse de Fontanges.

Alix suivit Alexandre Bontemps à travers les appartements du roi aux dorures éclatantes. Par un petit couloir très bien dissimulé, ils arrivèrent sur un palier où se trouvait l'entrée du nouveau domaine d'Angélique. Un peu plus loin, une petite porte s'ouvrait sur un escalier de service.

– Votre chambre se trouve à l'étage supérieur. La première porte à droite. Tout a été aménagé selon votre goût, sur les ordres de madame la duchesse. Dans une heure tout au plus, le passe et la tenue de servante vous seront apportés. Bonne chance, Mademoiselle de Maison-Dieu.

46

La nuit était déjà tombée quand Alix prit la
direction de l'aile du Midi. Elle était vêtue
d'une simple robe de toile écrue, dont le corset,
lacé sur le devant, enserrait une chemise
blanche à manches mi-longues. Un tablier et un
bonnet assortis à la chemise complétaient la
tenue. Alexandre Bontemps avait veillé à ce que
l'ensemble ne soit ni trop neuf ni très propre.

Toute trace de maquillage effacée, les cheveux
en grande partie dissimulés sous le bonnet et
affublée de vêtements aussi ternes, Alix passa
inaperçue dans les couloirs pleins de courtisans.
Il était presque sept heures et demie et, dans

leurs plus beaux atours, tous s'empressaient de rejoindre les grands appartements du roi pour la réception. Seuls quelques domestiques, intrigués, se retournèrent sur le passage de la jeune fille. «Tiens, voilà une nouvelle...», devaient-ils penser.

Alix avait pris soin d'enfouir ses mains dans les poches de son tablier. Une fois déjà, la blancheur et la finesse de ses mains d'aristocrate lui avaient valu d'être reconnue. Cette expérience lui avait servi de leçon!

La fausse servante arriva enfin au pied de l'escalier qui menait aux appartements des «logés». Elle jeta un rapide coup d'œil vers le haut et tendit l'oreille: personne ne descendait. Toujours aux aguets, elle grimpa les marches quatre à quatre jusqu'au deuxième étage.

Comme partout dans le château, les couloirs y étaient sombres, à peine éclairés par de petites lanternes fixées aux murs. Le sol était poussiéreux, et le plafond noirci au-dessus des lanternes. Près de certaines portes, il y avait des seaux de détritus, d'eau de vaisselle et des bassines où trempait du linge sale, attendant le passage des domestiques.

Il ne fallut pas longtemps à Alix pour repérer les lieux. Elle décida de commencer son inspection par le logement de la comtesse de Crussol. Après tout, c'est par sa fenêtre qu'Hamilcar était entré en premier ! Elle sortit de sa poche le passe fourni par monsieur Bontemps et tenta de crocheter la serrure. Sans succès... Alix regarda à droite et à gauche pour s'assurer une nouvelle fois que personne n'arrivait. Tout était silencieux. Un genou sur le plancher, les yeux à hauteur de la serrure, elle essaya encore et encore.

Soudain, elle sursauta : des voix masculines venaient de retentir dans l'escalier, et les pas se rapprochaient. Vite, il fallait ouvrir cette maudite porte ! Rien à faire !

En une seconde sa décision fut prise. Alix glissa le passe dans la poche de son tablier et se précipita vers une chambre voisine, au seuil de laquelle trônait une grande bassine. Plusieurs camisoles y trempaient dans une eau savonneuse, grisâtre à souhait et couverte d'une épaisse couche de crasse. Sans hésiter, elle sortit une chemise dégoulinante, la roula en boule et s'agenouilla pour frotter le sol avec ardeur.

Il était temps! Derrière elle, tout en parlant, deux hommes s'étaient arrêtés. Alix reconnut la voix aigrelette de Charles d'Esternay, le fils du duc. À maintes reprises, elle l'avait rencontré à l'académie d'escrime, lorsqu'elle s'y rendait en compagnie de Louis-Étienne. Bien souvent, elle avait combattu face à lui sans qu'il se doute une seconde qu'il croisait le fer avec une jeune fille! Heureusement, car il perdait toujours, et s'en plaignait beaucoup. «Sous son aspect de gringalet geignard, il n'en possède pas moins des mains de pendu, cachées dans la doublure de ses habits. Ce garçon est diabolique!» pensa Alix.

Tout en frottant vigoureusement les tomettes, la jeune fille tourna discrètement la tête. Son cœur se mit alors à battre très fort, résonnant dans ses oreilles tel un tambour de guerre: l'homme qui accompagnait Charles était beaucoup plus âgé que lui, mais la ressemblance était frappante. Aucun doute possible, il s'agissait de son père, le duc d'Esternay lui-même!

Que venait-il faire ici? Le premier valet de chambre du roi n'avait-il pas assuré à Alix que le duc résidait actuellement à Paris, en son hôtel de la place Royale?

Sans prêter la moindre attention à la petite servante qui nettoyait le sol non loin de leurs souliers noirs à talons rouges, les deux hommes entrèrent dans l'appartement. La porte se referma sur eux avec un grincement sinistre.

Alix se leva d'un bond et lança la chemise dans la bassine, projetant des gerbes d'eau sale un peu partout. Peu importait, le sol et sa robe étaient déjà trempés.

Elle s'attaqua de nouveau à la porte du logement de la comtesse. Cette fois, la serrure voulut bien céder. Avant de franchir le seuil, la jeune fille fouilla dans ses poches et en sortit un petit bougeoir, dont elle alluma la bougie à une lanterne du couloir. Dès l'antichambre, elle fut saisie par l'épouvantable odeur qui régnait dans la pièce, et par le cri qui déchira l'air.

– Quiiiiii va làààààà ?

Alix leva sa bougie et distingua sur un perchoir un magnifique perroquet rouge.

– Saaaaapristiiiii ! À moi, la garrrrrde ! s'égosilla l'oiseau.

La jeune fille s'approcha un peu. Elle n'y connaissait pas grand-chose en matière de perroquets, mais il lui sembla qu'il s'agissait d'une femelle. Elle en déduisit aussitôt que ce cher Hamilcar était amoureux et comprit du même coup l'origine de sa passion pour la couleur rouge. Un sourire fugace effleura ses lèvres, et elle se sentit un peu plus détendue.

Elle n'avait pas le temps de détailler le décor hétéroclite de l'appartement de la vieille comtesse. D'ailleurs, elle n'en avait pas la moindre envie, à cause des pestilences qui s'y mélangeaient dans une répugnante harmonie. Et puis, elle doutait fort que le perroquet d'Angélique ait pu trouver le magnifique rubis chez une vieille aristocrate ruinée. Comme ce n'était pas chez elle, ce devait être dans l'appartement du duc d'Esternay.

Soudain, la porte voisine grinça. Alix se figea et tendit l'oreille :

— Mon cher fils, disait le duc, nous allons encore bouleverser l'ordre des choses aux tables de jeu, et principalement à celle du roi. Une fois de plus, la chance tournera en notre faveur, et Sa Majesté paiera. À nous la fortune !

Le rire de crécelle de Charles d'Esternay répondit aux paroles de son père, et les pas s'éloignèrent, d'abord dans le couloir, puis dans l'escalier.

Alix poussa un long soupir de soulagement. La voie était libre! Du moins l'espérait-elle, car elle craignait à tout moment de rencontrer le baron.

Elle fit un petit signe de la main au perroquet rouge, qui pencha la tête sur le côté, comme pour mieux la regarder, et laissa échapper de son bec noir et crochu une longue roucoulade.

47

Le cœur battant, Alix se glissa vers l'appartement du duc d'Esternay. Comme elle s'y attendait, la serrure résista. Par chance, elle en vint à bout plus rapidement qu'elle ne l'avait craint. La porte s'ouvrit en grinçant, et la jeune fille entra.

Comme chez la comtesse de Crussol, elle alluma une bougie. La première pièce était petite et sans ouverture. Une antichambre à deux fenêtres lui faisait suite. Alix remarqua que l'une d'elles avait un carreau cassé. « C'est par ici qu'Hamilcar est entré », pensa-t-elle.

L'odeur qui flottait dans la pièce n'était pas aussi infecte que chez la voisine du duc ; pourtant la saleté et le désordre étaient indescriptibles.

De part et d'autre de l'antichambre se trouvait une chambre, munie elle aussi de deux croisées. Alix s'y aventura à pas feutrés, redoutant toujours de voir un ennemi surgir de la pénombre. Si l'appartement était bel et bien vide, quelqu'un pouvait néanmoins arriver d'un instant à l'autre ; il fallait donc faire vite.

La jeune fille choisit d'explorer en premier la chambre qui s'ouvrait sur la gauche. Un lit à baldaquin aux rideaux rouge et vert, une commode, des tapis, un guéridon, des chaises et quelques fauteuils constituaient l'essentiel du mobilier. Le décor – du moins le peu qu'elle pouvait en voir à la lueur de sa bougie – était dans son ensemble assez luxueux.

Sur le mur situé face aux fenêtres, deux portes s'ouvraient, l'une sur un cabinet de travail, l'autre sur un réduit minuscule, qui tenait lieu de garde-robe. Ces deux pièces étaient aveugles, et la lumière du jour ne devait y entrer qu'avec parcimonie lorsqu'on laissait les portes grandes ouvertes.

Alix s'attarda un peu dans la chambre, où des vêtements s'entassaient sur le lit défait et les fauteuils. Sur la table traînaient encore les reliefs d'un repas. Une carcasse de poulet moisissait dans un plat d'argent, et un quignon de pain blanc se desséchait au milieu d'un tas de pelures de poire rabougries, de croûtes de fromage et d'une multitude de miettes. « Le duc n'a donc pas de domestiques pour prendre soin de son logement ? » pensa Alix, interloquée.

Soudain, son regard se fixa sur un petit guéridon, où trônait un présentoir coiffé d'une perruque blonde ébouriffée. Cette tignasse lui sembla familière... Un peu plus loin, elle aperçut sur un fauteuil, au milieu d'autres vêtements, un habit du plus beau mauve. Elle ne connaissait qu'une personne au monde capable de s'habiller avec autant de mauvais goût : son oncle, le baron de Grenois !

Les lèvres pincées de dégoût, Alix s'approcha et, du bout des doigts, écarta le justaucorps. Juste en-dessous se trouvait une ceinture enroulée. La jeune fille frissonna...

L'épisode que Clémence avait évoqué peu de temps auparavant à propos de la marque imprimée au fer rouge sur l'envers du ceinturon d'Henri-Jules lui revint à l'esprit. Et si cette ceinture-là portait un signe cabalistique identique? Le même que celui tatoué sur les mains de pendu?

Du bout d'un couteau sale qu'elle récupéra sur la table, Alix entreprit de dérouler la ceinture, avec autant de crainte et de précaution que s'il s'était agi d'un serpent dont on ne sait s'il est mort ou endormi.

Le souffle coupé, elle regarda l'envers de la ceinture: la marque en forme de couronne était bien là, incrustée dans le cuir!

Elle ne put retenir un cri et laissa tomber le couteau, qui rebondit mollement avant de s'immobiliser sur le tapis.

La perruque blonde, l'habit mauve et le symbole sur le ceinturon, tout cela ne pouvait appartenir qu'au baron! Louis-Étienne avait raison: leur oncle était à ce point ami avec le duc d'Esternay que celui-ci lui prêtait son logement au château!

Prise de panique, la jeune fille pensa s'enfuir. Mais en quelques instants elle parvint à retrouver son calme et le courage nécessaire à la poursuite de sa mission. Il lui fallait maintenant fouiller le reste de l'appartement dans l'espoir d'y trouver un indice, une trace, qui pourrait la mettre sur la piste du collier de rubis et du sorcier maudit, celui qui embaumait les mains de pendu.

Alix pénétra donc dans le cabinet de travail. À l'aide de sa bougie, elle alluma un candélabre posé sur le bureau. Contrairement à la chambre, ce réduit n'avait rien de luxueux. Des livres, quelques piles de linge, des liasses de papiers, de la vaisselle d'argent et des bibelots poussiéreux étaient éparpillés sur les étagères d'une petite armoire aux portes grandes ouvertes. Sur la table, tachée de vin et d'encre, traînaient des verres sales, dont un avait été renversé, et un encrier qu'on n'avait pas pris la peine de refermer. Juste à côté d'un sous-main en cuir vert bouteille, une plume d'oie usagée semblait attendre le retour de son propriétaire. Les bougies du chandelier avaient coulé le long des branches, et la cire laissait sur la table des amas informes. Sur le sol, Alix aperçut une quantité de boules de papier, qui avaient roulé dans tous les coins.

Elle en ramassa une, la déplia en s'approchant des bougies et lut ce simple mot :

Madame,

Elle jeta la feuille pour en reprendre une autre. Sur celle-ci, il était seulement écrit :

Madame la marquise,

Sur une autre feuille encore, elle déchiffra :

Ma très chère amie,
Vous sera-t-il possible un jour de

Alix pensa que cet épistolier avait bien du mal à tourner une lettre ! Une quatrième boule de papier, au texte raturé, difficile à décrypter, lui apporta néanmoins de précieux et effrayants éclaircissements :

Ma chère Catherine,

Je tenais à vous dire à quel point je suis heureux d'apprendre que vous avez retrouvé votre fils. Je regarde cette libération comme un heureux présage et un signe du destin quant à notre réconciliation.

Sachez, Madame, que j'ai usé de tout mon crédit auprès du roi pour qu'il vous accorde cette faveur. Il ne s'est pas laissé convaincre facilement, Sa Majesté n'est pas homme à changer d'avis comme de perruque ! Vous le voyez bien, ma chère belle-sœur, je ne cherche qu'à vous être agréable. Et je me deman-

dais s'il vous serait un jour possible de reconsidérer la demande en mariage qui me tient tant à cœur. Mon frère, votre regretté mari, se réjouirait de nous voir former une famille heureuse et véritablement unie...

Alix ne lut pas la suite du texte. Pour avoir une ultime confirmation, elle regarda au bas de la feuille, où on pouvait lire les initiales : *H.J.G.*

Henri-Jules de Grenois ! Après tout ce qu'il avait fait endurer à sa famille, voilà que ce démon se vantait d'avoir fait libérer Louis-Étienne ! De plus, il se permettait une nouvelle fois d'importuner la marquise avec sa demande en mariage ! La jeune fille n'en croyait pas ses yeux.

Elle ouvrit le sous-main de cuir. Elle y trouva un pli cacheté, prêt à partir, adressé à «Madame la marquise de Maison-Dieu»... C'était sans doute la même lettre, que le baron s'était appliqué à recopier proprement pour la faire porter à sa destinataire.

Parmi les quelques papiers qui se trouvaient dans le sous-main, Alix ne trouva rien qui concernât le collier de rubis ou le sorcier qu'elle était supposée retrouver. En revanche, elle reconnut la lettre de demande d'audience au roi, qu'elle avait écrite avec Clémence, quelque temps auparavant, et que son oncle avait donc interceptée. Pas étonnant que le souverain ait eu l'air surpris en l'entendant parler de ce placet! Bien qu'elle n'en eût jamais douté, elle avait ainsi la preuve que c'était bien à Angélique de Fontanges qu'elle devait d'avoir rencontré le roi en particulier.

Alix hésita un instant... Elle froissa le brouillon qu'elle avait ramassé et l'envoya rejoindre les autres sur le sol. Décidant d'emporter les deux lettres, elle les glissa dans la poche de son tablier.

48

Alix était déçue. Pour l'instant, peu de choses étaient sûres : Henri-Jules se cachait dans l'appartement du duc d'Esternay, avec la bénédiction de ce dernier. Cela était inquiétant, car même si le baron ne se montrait plus guère à l'hôtel de Maison-Dieu, il ne s'en éloignait pas et pouvait réapparaître à tout moment. La jeune fille savait aussi pourquoi le roi n'avait jamais reçu sa lettre. Mais elle n'avait absolument rien trouvé quant au rubis ni à l'hypothétique sorcier...

L'heure tournait. Elle décida de partir, mais avec la ferme intention de revenir un jour

prochain et de poursuivre ses recherches. Elle
éteignit le chandelier, reprit sa bougie et passa
dans l'antichambre. Avant de sortir, elle jeta un
dernier coup d'œil dans la deuxième chambre.
Meublée avec autant de luxe que la première,
elle semblait inhabitée. Pour Alix, cela confir-
mait qu'Henri-Jules était bien l'unique occupant
de ce logement.

Arrivée devant la porte, elle tendit l'oreille
pour épier les bruits du couloir. Personne, la
voie était libre... Elle posait la main sur la poignée quand, soudain, elle se ravisa. Un sentiment étrange venait de s'imposer à elle, laissant
peu à peu la place à un souvenir précis : celui
du plan de l'appartement que lui avait montré
Alexandre Bontemps. Le premier valet de
chambre avait bien insisté : le logement du duc
d'Esternay possédait quatre pièces, dont deux
chambres, chacune avec un cabinet et une
garde-robe.

Dans la chambre qu'occupait Henri-Jules,
elle avait effectivement vu les deux portes cor-
respondant à ces dépendances ; elle s'était même
installée quelques minutes dans le cabinet de
travail. En revanche, dans la pièce inoccupée,
elle n'avait vu qu'une seule porte.

Malgré cette force irrésistible qui la poussait à s'enfuir, elle revint sur ses pas, jusqu'à la deuxième chambre. Elle en était sûre ! Il n'y avait qu'une seule porte, qui s'ouvrait sur le cabinet privé. Alix y entra. Les murs étaient entièrement recouverts de boiseries. Où pouvait bien se trouver la deuxième garde-robe dont avait parlé monsieur Bontemps ?

En explorant la pièce à la lumière de la bougie, la jeune fille découvrit une ouverture discrète qui se découpait sur un des murs. Elle fut frappée de stupeur lorsqu'elle aperçut un rai de lumière au ras du sol. Pourtant, il ne s'agissait visiblement pas d'une porte secrète puisqu'elle était équipée d'une simple serrure.

Alix colla son oreille contre la paroi. Le silence était total. Pas le moindre souffle, pas le plus léger murmure...

Elle ne se demanda pas longtemps ce qu'elle avait à faire. Une mission lui avait été confiée par le roi, et elle devait percer ce mystère. Elle sortit le passe qui lui avait permis d'entrer dans deux appartements et, cette fois, la serrure se montra docile. La porte s'ouvrit.

Comme Alix le pressentait, il n'y avait personne dans cette pièce minuscule, éclairée par les bougies d'un chandelier, sans doute oublié là. Le spectacle était effroyable, et l'odeur infecte... D'instinct, la jeune fille sut immédiatement ce qu'elle venait de trouver... Une officine de sorcier !

Les murs très sombres, comme enduits de noir de fumée, étaient couverts d'étroites étagères, où s'alignaient des pots étiquetés, des bouteilles de toutes les tailles et des flacons remplis d'un liquide marron, dans lequel baignaient des choses informes. Une sorte de comptoir muni de nombreux tiroirs, pareil à ceux qu'utilisent les marchands de gants, était plaqué contre un mur, dont il occupait toute la longueur. Dans toute la pièce traînait un bric-à-brac d'objets : des coupelles, un tamis, un creuset et son pilon, un petit fourneau haut sur pattes que l'on pouvait sûrement déplacer à volonté. Il y avait aussi des couteaux, des piques métalliques, une cornue brisée, plusieurs chaudrons empilés les uns dans les autres, un serpent empaillé et, juste à côté, une main de la fortune...

Alix en eut la respiration coupée. Le sang battait dans ses tempes à lui faire éclater la tête.

Une main de la fortune ! Elle n'en avait encore jamais vu !

Là encore, il s'agissait d'une main de pendu, sa mère lui en avait parlé. C'était une autre utilisation de ces répugnantes reliques : une main embaumée entourait une bougie, dont la mèche, détail sordide, était fabriquée avec des fils de la corde du pendu. Pour trouver la fortune, dans un endroit où l'on supposait un magot enfoui, il suffisait d'allumer la bougie, et de porter cet infâme bougeoir en marchant jusqu'à ce que la flamme s'éteigne. À cet endroit précis, il fallait s'arrêter et creuser... À coup sûr, le trésor était là, qui vous tendait les bras !

Soudain, le regard d'Alix fut attiré par un reflet furtif. Elle approcha le chandelier, et la surprise la cloua sur place. Sous ses yeux, dans une coupelle en porcelaine crasseuse posée sur le comptoir, trois rubis reflétaient la lumière dansante des bougies.

Les pierres étaient petites et rondes, taillées de manière tout à fait classique. Rien ne permettait d'affirmer qu'elles provenaient du collier de la marquise. Rien, sauf l'intuition d'Alix... C'était pour elle la confirmation que le perroquet d'Angélique avait bien trouvé le rubis chez Henri-Jules.

En poursuivant l'inventaire de ce cabinet des horreurs, elle vit que l'un des nombreux tiroirs de ce meuble étrange était entrouvert. Lentement, elle tira sur la poignée, la gorge nouée et suffoquant presque d'angoisse.

Il était vide; mais un détail attira son attention. Le tissu blanc qui tapissait le fond du tiroir était taché d'auréoles jaunâtres et exhalait une odeur qu'elle connaissait. C'étaient les mêmes souillures qui maculaient le linge enveloppant la main de pendu que Léontine avait enterrée dans un coffret au fond du jardin de l'hôtel de Maison-Dieu!

À la fois tenaillée par l'envie de déguerpir et pressée par le besoin de savoir, Alix ouvrit un autre tiroir, puis un autre, et un autre encore...

Chaque tiroir contenait deux mains de pendu momifiées, la paume tournée vers le bas.

Voilà donc ce que le duc d'Esternay était venu chercher tout à l'heure! Elle l'entendait encore dire à son fils : «... la chance tournera en notre faveur, et Sa Majesté paiera.»

Alix était terrorisée à l'idée qu'Henri-Jules puisse arriver à tout instant et la trouver dans son antre. Pourtant, ce n'était pas le moment de flancher. L'heure de vérité avait sonné. Il lui fallait retourner une de ces mains. Une couronne était peut-être gravée sur la paume, en regard de l'index, sur le mont de Jupiter...

Au hasard, elle attrapa un objet au milieu d'un enchevêtrement d'ustensiles. C'était une tige de fer avec un embout minuscule, à l'aide de laquelle elle retourna lentement l'une des mains... La couronne était là! La même qu'au bout de cette pique de métal, qui avait sans doute servi à marquer au fer rouge les mains et la ceinture du baron.

Tel un automate, Alix se retourna et saisit un des bocaux placés sur une étagère. Elle découvrit que les choses informes qu'elle avait aperçues au début de sa visite baignant dans le liquide brun foncé, n'étaient autres que des mains!

– La fille Monvoisin avait raison, murmura-t-elle. C'est l'œuvre d'un fou!

49

Alix se rua hors de l'appartement, claqua la porte derrière elle et se lança dans une course effrénée. Ceux qui la virent passer, ainsi affolée, durent s'imaginer qu'elle avait le diable à ses trousses. Ils n'étaient pas très loin de la vérité...

Arrivée dans sa chambre de demoiselle d'honneur, elle se débarrassa aussi vite que possible de ses vêtements, comme s'ils étaient imprégnés de toutes les monstruosités qu'elle avait vues chez le duc d'Esternay.

Une fois en chemise, elle appela Roseline, la femme de chambre affectée à son service, pour qu'elle l'aide à enfiler sa robe. De manière à ne pas attirer l'attention, elle avait pris soin de cacher son déguisement sous le lit. L'esprit envahi de sinistres images, elle laissa la servante serrer le laçage du corset au point de l'étouffer.

Alix savait qu'à cette heure Angélique de Fontanges se trouvait dans les grands appartements, où elle avait son rôle à tenir. Parée comme une reine, elle se devait d'offrir aux dames de la cour, et à tous les invités, le spectacle de sa rayonnante beauté et afficher l'assurance radieuse de la favorite que rien ni personne ne menace.

La duchesse n'ayant pas besoin d'elle, la jeune fille décida de rentrer directement à l'hôtel de Maison-Dieu. D'ailleurs, elle préférait éviter de passer par les grands appartements, où elle risquait de croiser dans la foule des courtisans le duc et son fils, ou encore Henri-Jules. Perdue dans ses pensées, elle se dirigea vers la cour royale, où elle loua une chaise à porteurs. Elle était si pressée de rentrer chez elle !

De retour à l'hôtel de Maison-Dieu, Alix ressentit un immense soulagement. Après une si terrible journée, elle était à bout de forces.

Dès qu'elle entra, la marquise, qui était venue à sa rencontre, sut que quelque chose l'avait bouleversée.

– Alix, es-tu souffrante? Que se passe-t-il? Je ne t'ai jamais vue aussi pâle.

– Je dois vous parler, Mère. C'est très important, il...

Elle n'eut pas le loisir de terminer sa phrase. Ses oreilles se mirent à bourdonner, la nausée lui serra la gorge, le décor du vestibule commença à tourner autour d'elle dans un étrange brouillard blanchâtre... Elle s'écroula, évanouie, sur le sol de marbre. Tout était allé si vite que Catherine n'avait pas eu le temps d'esquisser un geste pour la soutenir.

Quand Alix revint à elle, elle était allongée sur son lit, son corset un peu délacé pour lui permettre de reprendre son souffle. La marquise était à ses côtés et tentait de la rassurer:

– Ta robe était trop serrée, voilà tout. Cela t'aura donné quelques vapeurs. C'est le lot des femmes, qui doivent hélas s'habituer à subir ce genre de désagrément. Ah! Que ne ferions-nous pas pour avoir la taille fine!

Mais la jeune fille savait que la véritable cause de son malaise n'avait que peu de chose à voir avec son corset, aussi serré fût-il. Les découvertes qu'elle avait faites ce soir au château en étaient la vraie raison. À ce souvenir, elle ne put contenir ses larmes plus longtemps et tendit à sa mère les deux lettres qu'elle avait dérobées sur le bureau d'Henri-Jules.

– Quelle audace! explosa la marquise, lorsqu'elle en eut terminé la lecture. Après avoir fait emprisonner Louis-Étienne et subtilisé la demande d'audience que nous avions fait porter au roi, le baron voudrait me faire croire que je lui dois la libération de mon fils! Alors que c'est toi seule qui as obtenu cette grâce en sauvant la vie d'Angélique! Il est vrai qu'il ignore tout de ta mission. Voilà pourquoi il tente une nouvelle manœuvre pour m'amadouer... L'épouser? Jamais! Comment peut-il être assez fou pour s'imaginer que je vais accepter, après tout le mal qu'il a fait à Louis-Étienne et à notre famille!

Catherine était furieuse et inquiète à la fois. Elle replia avec soin les feuilles de papier.

– J'espère seulement qu'il ne s'apercevra pas de l'absence de ces documents. Sinon, il saura qu'on s'est introduit chez lui. Tu sais à quel point je crains ses réactions!

– Même s'il s'en rendait compte, comment pourrait-il deviner qui est entré dans l'appartement? répondit Alix. Avant même qu'il ait fini d'y réfléchir, nous aurons eu le temps d'aller voir le roi et de lui montrer ces lettres. Grâce à elles, nous réussirons à le confondre.

Bouleversée, la jeune fille continuait à pleurer.

– Mère, ajouta-t-elle entre deux sanglots, je ne vous ai pas encore tout dit...

Et, devant la marquise stupéfaite, elle entama le récit de ce qu'elle avait vu dans le logement du duc d'Esternay.

– Mon Dieu, ma chérie, comme tu as dû avoir peur! Tu as été si courageuse! murmura Catherine quand sa fille eut terminé le récit de sa découverte macabre.

Elle serra Alix dans ses bras avant de reprendre:

– Comment ose-t-on profaner ainsi la résidence du souverain! Il est impensable que de telles horreurs puissent exister dans l'enceinte du palais, à l'insu de tous! Même Alexandre Bontemps, qui pourtant a des espions partout, ignore ce qui se trame dans l'ombre des alcôves, à deux pas des tentures de soie et des lambris dorés des grands appartements !

— Et moi qui cherchais un sorcier pour lui faire avouer les noms de ses clients ! souffla Alix. J'étais à cent lieues de me douter que ce sorcier était le baron lui-même, profitant de la complicité du duc d'Esternay et de son fils. J'en suis certaine ! Ils embaument les mains et les vendent une fortune à tous ceux qui leur en font la demande. Ce sont des monstres !

La marquise se leva pour faire quelques pas dans la chambre.

— En ce qui concerne les rubis que tu as vus, rien ne prouve qu'ils proviennent de mon..., je veux dire, de notre collier. Mais, quoi qu'il en soit, tout ce que tu viens de m'apprendre est suffisamment grave pour que demain nous allions ensemble voir le roi ! affirma-t-elle.

Catherine avait à peine fini sa phrase qu'un bruit de carrosse se fit entendre dans la cour. Elle courut à la fenêtre. Encore étourdie, Alix se leva aussi vite qu'elle put et alla la rejoindre.

Un attelage venait de s'arrêter devant le perron. La nuit était fraîche, et les deux chevaux au pelage fumant écumaient de sueur. Ils avaient dû faire une longue course.

Inquiète, la jeune fille se tourna vers sa mère. Qui pouvait bien leur rendre visite à cette heure tardive?

50

Quelle ne fut pas leur surprise lorsqu'elles virent Clémence, en habit de postulante, et Antonin descendre de la voiture !

– Que font-ils ici ? Juste ciel ! Il se passe sûrement quelque chose de grave ! s'exclama la marquise.

Affolée, elle ramassa ses jupes et courut à leur rencontre.

Alix était folle d'inquiétude, mais aussi de joie à l'idée de serrer sa sœur dans ses bras... et de revoir Antonin. Elle en oublia presque son malaise et dévala le grand escalier à la suite de sa mère.

Quelques instants plus tard, ils se retrouvèrent tous les quatre dans le vestibule. Les jumelles se jetèrent dans les bras l'une de l'autre.

– Alix! Ma chère sœur! sanglota Clémence. Tu es là, et bien vivante! J'ai eu si peur pour toi, j'ai même cru que... tu étais morte! Que s'est-il...

– Allons, Clémence, calme-toi, dit la marquise. Alix est en parfaite santé. Certes, nous avons des choses importantes à nous dire, mais le lieu est fort mal choisi pour les confidences. Suivez-moi tous à l'office. Le feu ne doit pas être éteint et, comme ce soir je n'ai pas fait honneur au dîner, il y a sûrement de quoi nous restaurer!

Quand ils entrèrent dans l'immense cuisine de l'hôtel de Maison-Dieu, Mathilde et Jacques s'inclinèrent respectueusement. Antonin, heureux de revoir le valet qu'il avait connu enfant, engagea la conversation.

– Eh bien, mon cher Jacques, voilà des années que je ne t'ai vu, et pourtant, je crois bien que je t'aurais reconnu si je t'avais croisé dans la rue! Tu n'as guère changé!

– D'une certaine manière, vous non plus, Monsieur! répondit le domestique avec un sourire. Si vous êtes devenu grand et fort, votre visage, lui, est toujours le même. Depuis quand êtes-vous revenu de Normandie ? Votre père était là, il n'y a pas trois jours, et il ne m'a pas dit que vous étiez à Versailles...

À l'évocation de son père, le visage d'Antonin se ferma, ce qui n'échappa pas à Alix.

Elle fronça les sourcils et son regard croisa celui de sa mère...

– Jacques, où et quand as-tu vu le baron ? demanda la marquise.

– Avant-hier, Madame. Il est venu ici sur les cinq heures de l'après-midi et souhaitait s'entretenir avec vous. Je lui ai fait valoir que vous ne seriez de retour que deux heures plus tard, il a tout de même voulu vous attendre. Alors, je l'ai installé dans le grand salon, et je lui ai servi à boire avant de retourner en cuisine. Quand je suis revenu, dix minutes après, pour savoir si monsieur le baron ne manquait de rien, il avait disparu...

– Pourquoi ne pas m'en avoir parlé plus tôt ?

– J'ai voulu le faire, Madame, le soir même, lorsque vous m'avez demandé d'aller quérir monsieur d'Hémonstoir. Mais vous paraissiez soucieuse et...

— Je me souviens, le coupa Catherine. C'est moi qui t'ai demandé de remettre à plus tard ce que tu avais à me dire. Alors, pourquoi diable ne m'en as-tu pas parlé le lendemain?

— C'est qu'à cause de l'accident de Léontine, Madame, Mathilde et moi, on a eu plus de travail que d'habitude... et j'ai tout bonnement oublié.

— Laissons cela! conclut la marquise. Ce n'est pas grave. Si monsieur le baron est reparti aussi vite, c'est sans doute que l'affaire n'était pas urgente. Mets plutôt du vin à la cannelle à chauffer et va aux écuries dire au cocher de venir souper dès qu'il aura fini de panser et nourrir ses chevaux.

Quelques minutes plus tard, Mathilde découpait et servait une omelette aux herbes et aux champignons, dorée à souhait.

— Maintenant, mes enfants, l'heure des explications est venue, déclara la marquise.

D'un signe de tête, elle congédia les deux domestiques. Puis son regard se tourna vers Clémence.

— Ma chère fille, quelles sont les raisons qui t'ont poussée à quitter le couvent à la nuit tombée? La mère supérieure est-elle au courant, ou bien t'es-tu enfuie?

– En début de soirée, alors que j'étais au réfectoire avec les autres religieuses, j'ai ressenti un malaise qui m'a fait perdre connaissance. Je me suis écroulée sur le pavé, et, quand j'ai rouvert les yeux, j'étais dans ma cellule. De terribles douleurs me serraient la poitrine et une cruelle angoisse me nouait la gorge. Avec ça, une sinistre pensée m'obsédait: Alix était en danger, ou peut-être déjà morte. J'en étais certaine... J'ai tout raconté à la mère supérieure, qui se trouvait à mon chevet. Elle a baissé les yeux et m'a fait une confidence: «J'avais moi-même une sœur jumelle. Quand elle est morte, il y a fort longtemps, j'ai ressenti un immense malaise. Une force irrésistible me poussait à m'enfuir du couvent pour aller la secourir. Malheureusement, cela était impossible. J'avais prononcé mes vœux définitifs, et je devais rester à jamais derrière ces murs. Ce n'est pas votre cas, Clémence. Vous êtes encore libre de vos mouvements, et je suis prête à vous aider...»

Alix venait de comprendre quelque chose qui avait une grande importance à ses yeux... Elle se souvenait parfaitement du jour où sa sœur était entrée en religion, et de son ressentiment à l'égard du couvent, qui lui enlevait sa jumelle. La mère supérieure avait alors eu pour elle des paroles de réconfort qui avaient su apaiser son chagrin. Ainsi donc, cette femme connaissait la force des liens qui unissent les âmes des jumeaux et avait enduré les souffrances d'une séparation à une période de sa vie !

— Ma première idée a été d'envoyer chercher notre cousin Antonin, poursuivit Clémence. La mère supérieure a aussitôt accepté. Elle l'avait rencontré lorsqu'il était venu me rendre visite au couvent, et lui avait accordé sa confiance. La sainte femme m'a donc autorisée à venir à Versailles. De mon côté, j'ai promis de rentrer au couvent le plus vite possible.

Clémence se tourna vers sa sœur :

— Alix, que s'est-il passé ? Je sais que tu as vécu quelque chose de terrible. Je t'en prie, dis-moi.

— Avant toute chose, intervint Catherine, j'aimerais savoir si Antonin a vu son père au cours des derniers jours.

Le jeune homme parut un peu surpris.

— Non, répondit-il. Je ne l'ai pas vu depuis que je suis revenu de Normandie. Et je m'en félicite !

– Vous aurait-il joué quelque mauvais tour pour que vous parliez de lui de cette manière? demanda la marquise.

Au fond d'elles-mêmes, Alix et sa mère attendaient une confirmation. Quels étaient réellement les sentiments d'Antonin pour son père? Les deux femmes pouvaient-elles véritablement lui faire confiance et parler de ce qu'Alix avait découvert à Versailles?

– Voyez-vous, dit le jeune homme, je dois à Alix une explication à propos d'une sombre histoire familiale, dont je n'ai levé qu'une infime partie du voile. Je suis heureux de faire ces révélations devant vous toutes réunies, ne pouvant plus garder pour moi seul un si lourd secret, d'autant qu'il vous concerne au premier chef. Vous jugerez par vous-mêmes en quelle estime je tiens mon père!

Dans un bel ensemble, les trois femmes approchèrent leur chaise de celle du jeune homme.

Il avait l'air si grave qu'Alix en frémit... Qu'allait-elle encore découvrir?

– Voilà toute l'affaire, dit-il. Ma grand-mère, la comtesse de Saint-Hymer, me l'a révélée...

Soudain, la porte de la cuisine s'ouvrit. La

tête basse, la mine renfrognée, le cocher entra en maugréant :

– Un de mes chevaux est boiteux... pourrai jamais repartir ce soir...

Levant les yeux, il vit tous les regards braqués sur lui. L'homme se figea, surpris de trouver les maîtres de maison attablés à l'office...

51

Dès l'arrivée du cocher aux cuisines, la marquise avait rappelé les domestiques. Elle avait ensuite prié ses filles et son neveu de la suivre au premier étage. Sans savoir de quoi il s'agissait, Catherine devinait la gravité des aveux que le jeune homme leur réservait. Elle avait seulement dit en les invitant à entrer dans son cabinet particulier :

— Nous pourrons ainsi parler à l'abri des oreilles indiscrètes.

Quelques instants plus tard, ils étaient tous quatre confortablement installés et Antonin put entamer son récit :

– Tout a commencé lorsque mon père a jeté son dévolu sur la très riche famille de Saint-Hymer, qui comptait deux filles à marier. Il a, semble-t-il, été séduit par Adélaïde, la sœur de ma mère, qu'il a aussitôt demandée en mariage. Mon grand-père, le comte de Saint-Hymer, a refusé tout net. Il affirmait que le rang et la beauté de ses filles leur permettaient d'espérer un meilleur parti. Une alliance avec un petit baron bourguignon ne représentait pas à ses yeux un avenir suffisamment brillant pour sa descendance.

La marquise savait à quel point Henri-Jules avait souffert d'être le cadet de la famille de Maison-Dieu et de n'avoir hérité que d'un titre de baron. Aussi pouvait-elle sans difficulté imaginer la blessure d'orgueil que le refus du comte de Saint-Hymer lui avait infligée...

– Mon grand-père est mort des suites d'une chute de cheval trois semaines plus tard, continua Antonin. C'est alors que mon père a décidé de prendre sa revanche.

– De quelle manière ? demanda Alix avec impatience.

– Le plus poliment du monde, en suppliant ma grand-mère de lui accorder ce que son défunt mari lui avait obstinément refusé. La brave

femme aurait accédé à sa demande si un événement imprévu n'était venu, une nouvelle fois,
tout bouleverser... Adélaïde avait subitement
décidé d'entrer au couvent, et sa décision était
irrévocable!

Alix et Clémence se regardèrent avec inten-
sité... Ni l'une ni l'autre n'avait oublié leur que-
relle, le jour où Clémence avait fait part de son
désir de devenir religieuse.

– Selon la comtesse de Saint-Hymer, mon père
est d'abord entré dans une redoutable colère,
puis il a beaucoup pleuré... Avec le recul, je
regarde cet accès de désespoir comme la marque
d'un très grand dépit.

– Le dépit amoureux peut conduire à bien
des débordements, intervint Clémence.

– Ma chère cousine, je ne sais pas si le baron a
été réellement capable d'éprouver, pour qui que
ce soit, un sentiment comparable à de l'amour.
Je crois plus volontiers que, ce jour-là, il mesu-
rait l'importance de la dot qui lui échappait!
Alors, il a fait volte-face et a demandé à la
comtesse la main de son autre fille, Louise-
Marie. Une dot n'en vaut-elle pas une autre?
Il faut bien admettre, ma tante, que l'or est la
seule chose qui ait jamais compté pour lui.

La marquise posa sur son neveu un regard triste et se contenta d'acquiescer d'un petit mouvement de la tête.

— Il a donc tant et si bien fait que le mariage fut rapidement conclu. Sans plus tarder, mon père a emmené sa jeune épouse dans son domaine bourguignon : le château de Grenois. La belle et douce baronne ne savait pas que son calvaire allait bientôt commencer...

— Poursuivez, de grâce ! Vous nous faites brûler d'impatience ! s'exclama Alix.

— Au bout de quelques mois, Henri-Jules a commencé à insulter sa femme. Peu à peu, il est devenu brutal, puis franchement violent. Certaines fois, ma pauvre mère devait garder le lit plusieurs jours pour se remettre des coups qu'elle avait reçus. Et puis il y a eu la naissance de mon frère Léonard. Le baron était si fier d'avoir un fils qu'il en était presque aimable avec sa femme. D'autant que cet événement correspondait avec une grave maladie de sa belle-mère, la comtesse de Saint-Hymer. En son for intérieur, il était persuadé qu'elle allait mourir et se régalait déjà à la perspective d'un énorme héritage. Pendant plus de six mois, ma grand-mère a été entre la vie et la mort. Finalement, elle a survécu! L'éloi-gnement soudain de cette fortune qu'il croyait à portée de main a, paraît-il, rendu mon père à moitié fou. Il a recommencé à brutaliser ma mère, et c'est dans cette ambiance de violence quotidienne que je suis né, un an et deux mois après mon frère. C'est alors que Louise-Marie est à son tour tombée malade, d'une de ces maladies de poitrine dont on ne se remet guère. Allez savoir pourquoi, mon père s'est alors encore plus acharné sur elle. Dieu merci, la malheureuse avait une jeune servante, Nanon, qui lui était toute dévouée. Grâce à elle, ma mère pouvait envoyer des lettres à la comtesse de Saint-Hymer. Son dernier pli a été confié à la poste deux semaines avant sa disparition. Un récit désespéré qui rassemblait tout ce qu'avait été sa vie avec Henri-Jules depuis plu-sieurs années, et se terminait par cet appel au secours : «...*si personne ne vient me délivrer, mon mari m'aura tuée à force de coups, avant même que ma terrible maladie n'ait pu achever sa besogne...* »

À ces mots, Clémence ne put contenir ses larmes.

– Comment rester insensible à tant de détresse? sanglota-t-elle.

– La comtesse de Saint-Hymer n'a donc rien tenté pour sauver Louise-Marie? s'insurgea Alix.

– Si, naturellement. Dès qu'elle a reçu la fameuse lettre, ma grand-mère a fait ses malles et loué un équipage, puis elle s'est mise en route pour le château de Grenois. Son idée était de ramener sa fille en Normandie, si toutefois son état le permettait. La comtesse a toujours été une femme de caractère, aussi était-elle fermement décidée à tenir tête à son gendre. Pour le confondre, elle avait même emporté la lettre et comptait la brandir sous son nez en le menaçant d'en référer au roi... Hélas! elle est arrivée trop tard. L'irréparable s'était produit deux jours auparavant, la veille de mes trois ans, et ma grand-mère n'a pu qu'assister aux obsèques de sa fille. Le baron a bien essayé de lui faire croire à un accident, mais il ne connaissait pas l'existence de la lettre. Il ne savait pas non plus que quelqu'un au château avait tout vu...

– La jeune Nanon, je suppose? avança la marquise.

– En effet, ma tante. Et elle a tout raconté à la comtesse dès son arrivée.

– Que s'est-il passé exactement?

– Au cours d'une violente dispute, Henri-Jules a poussé ma mère dans le grand escalier. La chute a été si violente qu'elle ne s'en n'est pas relevée... En apprenant cela de la bouche de Nanon, la comtesse s'est effondrée. À quoi bon désormais menacer son gendre? Elle le savait capable de tout, et surtout de s'en prendre aux enfants, aux domestiques et pourquoi pas à elle-même? Tout ce qui lui restait était cette lettre, qui a d'ailleurs bien failli lui valoir de gros ennuis et...

– Cette sinistre histoire n'est donc pas terminée? s'indigna Alix.

– Hélas, non, ma très chère cousine. Mon père s'étonnait, à juste titre, de la visite de la comtesse en de si troublantes circonstances. Un soir, il a cherché à savoir les raisons de sa venue au château de Grenois. Il s'est montré si agressif que ma grand-mère a eu peur pour sa vie. Ne pouvant se jeter sur les routes à la nuit tombée, elle devait attendre le lendemain. Affolée à l'idée d'une nouvelle colère de mon père, et dans la crainte qu'il ne trouve la lettre, elle a décidé de la cacher dans le château. Elle est partie au petit matin après avoir livré une dernière bataille.

— Nous direz-vous laquelle? demanda Catherine.

— Bien volontiers. Elle voulait emmener avec elle ses petits-enfants et Nanon, la servante de sa fille défunte. À son grand étonnement, le baron a cédé sur tout, ou presque. Il entendait garder Léonard auprès de lui, assurant que cet enfant lui était très attaché. La suite est sans surprise. J'ai grandi en Normandie entouré de ma grand-mère et de Nanon. J'allais parfois à Paris, où mon père s'était finalement installé après la mort de sa femme. J'y faisais de courts séjours, et tout s'est toujours plus ou moins bien passé... Jusqu'à ce jour de l'année dernière où j'ai surpris une conversation qu'il avait avec Léonard...

— Ce cher Léonard! siffla Alix.

— De quoi était-il question? intervint la marquise.

— Il parlait de tout mettre en œuvre pour obtenir enfin le rang de marquis de Maison-Dieu... Il disait que vous-même, ma tante, ne pourriez déjouer ses plans et aller contre sa volonté, pas plus que «ce vaurien de Louis-Étienne», qui usurpait son titre et convoitait sa fortune... et qu'enfin il n'hésiterait ni à intriguer, ni à user de la force si on l'y obligeait.

– Voilà exactement tout ce qu'il a fait pour nous nuire ! s'exclama Alix.

– À cette époque, je ne savais pas encore ce qu'il était arrivé à ma mère. C'est donc avec un certain détachement que j'ai rapporté à ma grand-mère cette conversation concernant une branche de ma famille que je n'avais d'ailleurs pas l'honneur de connaître. La comtesse parut beaucoup plus affectée par ces révélations que je ne m'y attendais.

– Est-ce à ce moment-là qu'elle a demandé une audience au roi ? s'enquit Alix.

– En effet. Et c'est après l'avoir rencontré qu'elle m'a révélé plusieurs choses, sur le chemin du retour en Normandie. D'abord, la teneur de son entretien avec le souverain, qui n'est autre que l'effrayante histoire que je viens de vous conter, et aussi le fait que ses deux filles, Adélaïde et Louise-Marie, étaient sœurs jumelles. Tout comme vous, mes chères cousines, à cette différence près qu'elles ne se ressemblaient pas. Il paraît que cela arrive quelquefois.

Alix et Clémence ressentirent en même temps un pincement au cœur.

– Pour quelle raison votre grand-mère a-t-elle gardé le silence aussi longtemps? demanda Catherine avec amertume.

– Elle voulait préserver l'honneur de sa famille. Pour rien au monde elle n'aurait accepté qu'on dise de ses petits-enfants qu'ils étaient fils d'assassin!

– Dans ce cas, pourquoi a-t-elle changé d'avis?

– Tout simplement, ma tante, parce qu'elle savait ses petits-fils en âge de défendre eux-mêmes leur honneur. Et puis, elle voulait à tout prix éviter que le baron ne fasse d'autres victimes...

– Quelle a été la réaction du roi à l'évocation de ce chapelet d'ignominies?

– Le roi a été fort contrarié, d'autant qu'il avait depuis longtemps accordé sa confiance au baron de Grenois. Il a affirmé qu'il était entièrement disposé à croire ce que mon honorable grand-mère lui rapportait, mais qu'il lui fallait une preuve pour intervenir et faire enfermer mon père.

– Quelle preuve a-t-il demandée? intervint Clémence.

Un court silence s'installa dans le cabinet particulier de la marquise. Tous les quatre se regardèrent tour à tour, comme si chacun cherchait à deviner la réponse dans les yeux de l'autre...

— Il s'agit de la dernière lettre de ma mère, lâcha Antonin.

— Celle que la comtesse de Saint-Hymer a cachée dans le château de Grenois? murmura Alix.

— Vous avez deviné, ma tendre cousine. Ma grand-mère l'a dissimulée dans l'épaisseur du cadre d'un tableau. Sur le moment, elle a agi dans la précipitation, mais elle se souvient fort bien de ce tableau: c'était un portrait de Louise-Marie... J'ai profité d'avoir l'hôtel de la rue Payenne pour moi seul, ces temps derniers, et j'ai fouillé partout. À l'heure qu'il est, je n'ai rien trouvé.

— Êtes-vous sûr d'avoir tout exploré? s'enflamma Alix. Ensemble, nous pourrions peut-être...

— C'est inutile, l'interrompit Antonin. J'ai démonté tous les cadres de tous les portraits de ma mère. Il y en a trois. Mon père a toujours tenu à les exposer pour faire croire au monde qu'il restait inconsolable de la perte de son épouse... Je vous affirme que le tableau dont a parlé ma grand-mère a disparu, et avec lui la preuve qu'attend le roi.

— Je crois savoir où se trouve la toile que vous cherchez, laissa soudain tomber la marquise.

— Que dites-vous, ma tante?

— Mon neveu, vous nous avez fait un immense honneur en nous livrant ce terrifiant secret de famille, et je vous en remercie. À notre tour de vous témoigner la confiance que vous méritez. Alix va vous informer de certaines découvertes, qu'elle a faites aujourd'hui même et qui accablent votre père. Ensuite, je vous parlerai de ce tableau et de la personne qui le possède aujourd'hui...

Dans le petit salon, un profond silence s'installa. Sur tous les visages, la surprise se mêlait maintenant à la consternation...

Dehors, le ciel commençait à s'éclaircir, annonçant l'aube d'un jour nouveau.

52

Il était encore très tôt, et le jour était à peine levé quand Léontine ouvrit les yeux. Après une bonne nuit de repos, qu'elle devait à un sirop préparé par le docteur Cartier, la douleur de son nez cassé et ses angoisses revenaient peu à peu. Elle resta allongée, pensive, encore engourdie par un demi-sommeil quand de petits cliquetis suivis d'un déclic achevèrent de l'éveiller. Elle se redressa et vit avec stupéfaction la porte de sa chambre qui s'ouvrait lentement...

La servante étouffa un cri et recula en se recroquevillant jusqu'au mur contre lequel son lit était appuyé. Un bras replié devant son visage pour se protéger des coups, et l'autre serrant son oreiller contre sa poitrine, elle murmura d'une voix misérable :

— Vous aviez dit trois jours...

— Ne sommes-nous pas au matin du troisième jour ? grinça Henri-Jules.

Il mit alors un genou sur le lit et s'approcha de Léontine, qui tremblait et pleurait à chaudes larmes. Le baron prit le visage de la servante entre ses mains et le tourna d'un côté puis de l'autre, comme pour contempler son œuvre.

— Joli travail ! dit-il l'air satisfait en lui tapotant la joue. Voilà qui t'aura sûrement donné à réfléchir !

Il se releva en soupirant et alla s'asseoir sur l'unique chaise de la pièce.

Depuis sa dernière visite à Léontine, le gros rubis avait disparu. Il l'avait cherché partout, sans succès, et la haine ne le quittait plus. Comme la servante ignorait tout de cette disparition, l'idée de poursuivre ce chantage apparut au baron comme une distraction assez savoureuse...

— Alors, fit-il, vas-tu enfin me dire qui se cache dans les glacières de Clagny ?

– Personne, Monsieur le baron, dit Léontine en reniflant. Je suis prête à le jurer devant Dieu.

– Et donc à blasphémer, puisqu'il s'agit d'un énorme mensonge! cracha Henri-Jules en se rapprochant d'elle.

La servante se recroquevilla encore plus:

– Par pitié, ne me frappez pas... Je ne sais rien, je vous l'ai dit, je le jure devant...

– Tais-toi, vaurienne, on pourrait nous entendre! siffla le baron en la giflant du revers de sa main gantée.

Léontine, dont le visage était toujours très tuméfié, se mit à saigner du nez avec abondance.

– As-tu oublié que, dans ton intérêt, tout cela doit rester secret? siffla le baron. C'est une affaire entre toi et moi... Tu me dis à qui tu rends visite aux glacières, et j'oublie tout à propos du rubis que tu cachais sous une pile de linge. Sinon, tu sais ce qui t'attend... Je raconte l'affaire à la marquise et au roi, et tu iras tout droit à l'hospice. Tu sais ce que ça veut dire: le fouet, le pain noir et l'eau, la paille pourrie pour dormir, et puis les bains brûlants, où on te laissera macérer pendant des heures pour faire sortir le mal de ta sale carcasse!

À ces mots, les pleurs de Léontine redoublèrent, mais elle tenta une nouvelle fois de lui tenir tête.

– J'ai pas mérité ça! Même si le roi vous croit, madame la marquise me défendra...

– Tu rêves, ma pauvre fille! Tu crois vraiment qu'elle ira contre l'avis du roi pour prendre le parti de la complice d'une bande de voleurs? Car c'est bien cela, tu caches dans ta chambre des bijoux avant de les vendre pour leur compte, et tu prélèves ton bénéfice au passage! Avoue!

– Non! Jamais j'ai fait une chose pareille! Je suis une honnête femme! Je sais pas pourquoi ce rubis était chez moi. Je le jure!

– Ma parole! Arrête de jurer, tu m'écorches les oreilles! Je te dis, moi, que tu mens!

Le baron fit soudain un bond en avant, attrapa la malheureuse Léontine par les cheveux et la fit dégringoler du lit. Quand elle fut à terre, étendue sur le dos, étourdie par sa chute, le visage maculé de sang, Henri-Jules cala un pied sur le cou de sa victime et commença à appuyer...

Léontine s'agrippa à la cheville de son agresseur essayant de le repousser, mais ses forces l'abandonnaient peu à peu. Elle était bel et bien en train d'étouffer !

– C'est... le jeune marquis... qui est caché..., souffla-t-elle, au bord de l'évanouissement.

– J'aurais dû m'en douter ! Louis-Étienne se terre aux glacières ! triompha le baron. Voilà qui est intéressant ! Et combien sont-ils à lui tenir compagnie ? ajouta-t-il en augmentant la pression sur la gorge de la pauvre servante.

– Le... gardien..., c'est tout...

– Un seul homme ? Fière escorte pour un marquis, en vérité !

Ensuite, jugeant probablement qu'il était temps qu'il parte s'il voulait éviter d'être découvert, Henri-Jules ôta son soulier crotté du cou de Léontine, inerte sur le plancher. Juste avant de sortir, il lui décocha un violent coup de pied dans les côtes.

– Voilà pour ta peine, dit-il avec un sourire cruel.

53

Au même moment, après avoir chevauché à bride abattue depuis Versailles, Alix et Antonin arrivaient au couvent de la Visitation de la rue Saint-Antoine.

– Pourquoi Clémence n'est-elle pas avec vous? Lui est-il arrivé quelque chose? demanda la mère supérieure, l'air inquiet, en regardant tour à tour les deux jeunes gens.

Ils étaient assis face à elle, de l'autre côté de l'imposante table de travail. Il était très tôt. Le bureau de la religieuse n'était que peu éclairé et gardait le souvenir du froid de la nuit.

Alix reconnut le décor dépouillé de la grande pièce blanche. Le beau crucifix de bois foncé et les quelques tableaux de saintes accrochés aux murs lui rappelaient ce jour maudit où elle avait accompagné Clémence pour son entrée au couvent.

— Ma sœur a préféré rester auprès de notre mère, dit-elle. Toutes deux ont été très affectées par diverses nouvelles. Clémence est très inquiète, et elle ne rejoindra votre couvent que lorsqu'elle sera rassurée sur le sort de sa famille. Elle dit qu'elle aura alors l'esprit suffisamment libre pour se consacrer entièrement à la prière.

— Si telle est sa décision, je la respecte, fit la mère supérieure. Mais, puisque vous n'êtes pas ici pour m'annoncer une mauvaise nouvelle, pourriez-vous me dire ce qui vous amène de si bon matin... et dans cet accoutrement.

Ces derniers mots s'adressaient à Alix, qui portait un costume d'homme. La sœur tourière ne l'avait pas reconnue et elle l'aurait laissée dehors si la jeune fille n'avait pas ôté son chapeau et défait ses cheveux pour montrer son visage.

— Ma mère, répondit Alix modestement, pour gagner du temps, nous avons chevauché de

Versailles à Paris, ce qui explique cette tenue un peu... cavalière.

La religieuse laissa échapper un soupir, jeta un coup d'œil sur le crucifix et fixa de nouveau les deux cousins. Ce fut Antonin qui prit la parole. Il était très ému.

– Madame, je viens d'apprendre que vous étiez ma tante Adélaïde, la sœur jumelle de ma mère.

La mère supérieure tressaillit :

– Je me doutais qu'un jour vous découvririez la vérité, mon cher enfant. Qui vous l'a apprise ?

– La marquise de Maison-Dieu, mon autre tante.

Mère Adélaïde se leva lentement. Elle alla s'agenouiller sur le prie-Dieu placé au pied du crucifix et se recueillit. Dans la pièce, le silence était total.

Quelques instants plus tard, elle revint vers eux, les yeux humides, et serra longuement Antonin dans ses bras.

– Ainsi, vous savez tout, mes enfants. Toi, Alix, tu comprends maintenant à quel point j'ai partagé ta douleur lorsque ta sœur a décidé de se séparer de toi pour aller vers Dieu. Quant à moi, je n'ignore pas ce que Clémence a ressenti lorsqu'elle t'a crue en danger et qu'elle a voulu courir à ton secours.

La religieuse poussa un soupir et poursuivit :

— Je suis si heureuse de pouvoir enfin vous ouvrir mon cœur !

— À ce propos, dit Alix, nous avons une chose importante à vous demander. Avez-vous conservé le portrait que vous gardiez en souvenir de votre sœur Louise-Marie, et dont ma mère vient de nous parler ?

— Chère Catherine ! Elle n'est donc plus capable de tenir un secret, répondit Adélaïde en souriant. L'affaire doit être d'importance pour qu'elle ait failli à son serment. En quoi cela vous intéresse-t-il ?

— Nous avons des raisons de croire qu'une lettre est cachée dans le cadre de ce tableau, dit Antonin.

— De quelle lettre voulez-vous parler ?

Pendant qu'Alix lui racontait toute l'histoire, la religieuse détourna le regard et fixa un tableau accroché au mur, à sa droite.

— Voici ce que vous cherchez, dit-elle doucement. C'est un portrait de Louise-Marie à l'âge de vingt ans. En prenant le voile, je devais obéir à la règle de mon ordre et renoncer à tout ce qui se rattachait à ma vie passée. Toutefois, lorsque ma pauvre Louise-Marie est morte, je me suis autorisé une exception. J'ai écrit au baron de Grenois pour qu'il me donne un portrait de ma sœur. Il a accepté et m'a envoyé un laquais chargé de me faire choisir entre quatre tableaux. J'ai pris celui-ci et, pour ne pas trop enfreindre la règle de ce couvent, je l'ai fait légèrement retoucher par un peintre de talent. Louise-Marie a maintenant l'apparence de sainte Cécile, qui comme elle est morte en martyre. Avez-vous l'intention de l'emporter ?

– Pas le moins du monde, affirma Alix sur un ton rassurant. Nous voulons seulement examiner l'encadrement pour voir si, par hasard, une lettre n'y serait pas dissimulée.

Alix sentit alors une bouffée d'angoisse la submerger : et si le peintre qui avait retouché la toile avait démonté le cadre et trouvé la lettre ?

54

Sur les neuf heures du matin, la marquise était assise dans son lit et buvait un bol de bouillon de veau que Mathilde lui avait apporté. Elle était infiniment lasse: la conversation avec Antonin s'était prolongée jusqu'aux premières lueurs de l'aube. Une fois au lit elle avait guetté le bruit de cavalcade des chevaux d'Alix et de son cousin, partant pour le couvent de la Visitation. Ce n'est que plus tard qu'elle s'était endormie, et elle n'avait somnolé qu'un court moment.

Soudain, on frappa à sa porte.

– Entrez !

Rien ne se produisit.

– Entrez, vous dis-je !

Personne n'entra.

Agacée, la marquise repoussa les draps et la courtepointe et se leva pour ouvrir.

– Miséricorde ! s'écria-t-elle.

À ses pieds, juste devant la porte, gisait la pauvre Léontine, inconsciente, le visage ensanglanté et vêtue de sa seule chemise de nuit.

Catherine se précipita sur le cordon de la sonnette et le tira avec tant d'insistance que Mathilde se douta de quelque chose et demanda à Jacques de l'accompagner. Quand ils arrivèrent en courant au premier étage, ils trouvèrent la marquise à genoux, soutenant la tête de Léontine toujours inanimée.

– Mon Dieu, Madame, que se passe-t-il ? s'écria la fille de cuisine.

– Je n'en ai pas la moindre idée. Vite, aidez-moi à l'installer sur mon lit. Ensuite, Jacques, tu courras chercher le docteur Cartier.

Quelques instants plus tard, Mathilde essuyait le visage de Léontine avec un linge trempé dans l'eau tiède. L'hémorragie s'était arrêtée et, bien qu'elle respirât avec difficulté, la servante semblait peu à peu reprendre conscience.

Alertée par le remue-ménage, Clémence avait rejoint sa mère et priait en silence au pied du lit où reposait Léontine.

Quand les yeux de la servante s'ouvrirent enfin, son premier regard fut pour la marquise. De grosses larmes roulèrent sur ses joues avant de disparaître, absorbées par le moelleux de l'oreiller.

– Pardon, Madame, pardon..., murmura-t-elle.

– Qu'aurais-je à te pardonner ? lui dit doucement Catherine.

Les pleurs de Léontine redoublèrent.

– Allons, du calme. Dis-moi, que t'est-il arrivé ?

– Le baron de Grenois, Madame... Il est revenu... Il m'a frappée, comme l'autre jour...

La marquise regarda Clémence, qui s'était rapprochée et tenait la main de la servante. Sans équivoque, toutes deux pensaient à ce que Jacques avait raconté la veille au soir à propos de la visite d'Henri-Jules.

– Madame, je ne mérite plus votre confiance,

reprit la servante. Jetez-moi dehors aujourd'hui-même si vous voulez. Je vous ai trahie...

– Trahie? s'exclama Catherine.

– Je vous ai menti, j'ai désobéi, et puis j'ai eu si peur que j'ai tout raconté à monsieur le baron. C'est impardonnable... J'ai honte, je voudrais mourir.

– Léontine, encore une fois, calme-toi! En quoi m'as-tu désobéi?

– Par trois fois, je suis allée voir monsieur le marquis aux glacières de Clagny...

– Pourquoi diable as-tu fait cela? Alix et moi te l'avions formellement interdit! Tu savais que cette cachette devait rester secrète, lança la marquise, s'efforçant de garder son calme.

– J'avais peur que notre jeune marquis ne manque de quelque chose. Pensez donc, après son séjour à la Bastille!

Et, tout en pleurant, Léontine commença le long récit de ses infortunes...

– Un rubis, dis-tu? Quelle forme avait-il? demanda Catherine d'une voix blanche.

Bouleversées par ce qu'elles venaient d'apprendre, Clémence et sa mère étaient livides.

– Il était rond d'un côté, et pointu de l'autre.

– Dirais-tu qu'il avait la forme d'une... poire?

– Oui, Madame. C'est à peu près ça.

La marquise se tordait les mains. S'agissait-il du rubis provenant de son collier?

– Crois-tu avoir été suivie en te rendant aux glacières?

– Ma foi, non! Je pensais que, si quelqu'un voulait découvrir le refuge de monsieur le marquis, c'est vous ou mademoiselle Alix qu'il aurait l'idée de suivre. Qui pouvait bien se méfier d'une simple servante?

– Le baron de Grenois, justement. Cet homme-là est prêt à tout, est-il besoin de te le rappeler?

– Non, Madame, répondit Léontine en considérant sa chemise tachée de sang.

À cet instant, on frappa à la porte de la chambre. Le docteur Cartier entra et salua.

– Léontine, je vous laisse aux bons soins de notre médecin.

Accompagnée de Clémence, Catherine se dirigea vers son cabinet particulier. Là, elle s'effondra dans un fauteuil en pleurant à chaudes larmes.

– Maintenant, le baron, qui est de toute évidence notre plus redoutable ennemi, est sur la piste de Louis-Étienne! Mon Dieu, ma chérie, je ne sais plus ce qu'il convient de faire, sanglota-t-elle en serrant sa fille dans ses bras. De plus, j'ai le sentiment qu'il s'agit du même rubis, celui qu'Alix a vu dans les mains de Sa Majesté le lendemain de l'agression de Léontine. Si tel est le cas, cette pierre est passée des mains d'Henri-Jules à celles du roi par l'entremise d'un perroquet! Le baron a donc bien eu le collier en sa possession. De là à penser qu'il est à l'origine du vol il n'y a qu'un pas!

— Et par là même de la mort de madame d'Hémonstoir, renchérit Clémence.

— Le baron n'est sans doute pas à un meurtre près!

— La prochaine victime sur sa liste n'est autre que Louis-Étienne, nous le savons toutes les deux... Mère, ne vous tourmentez pas. Je sais comment agir. Faites-moi confiance et, s'il vous plaît, accompagnez-moi dans ma chambre.

— Quelles sont tes intentions? s'inquiéta Catherine.

— Je vais quitter mon habit de postulante, et je vous demande de m'aider à me vêtir, me coiffer et me farder comme Alix. Ensuite, j'irai au château, chez Angélique de Fontanges. Puisque ma sœur est sa demoiselle d'honneur et que je lui ressemble en tout point, je peux dire, sans trop m'avancer, que je n'aurai aucun mal à parvenir jusqu'à la duchesse.

– Qu'attends-tu d'elle?

– Qu'elle me conduise auprès du roi.

Au même instant, au couvent de la Visitation, Alix et Antonin se mettaient en selle. Après un dernier signe de la main à mère Adélaïde, qui les avait accompagnés jusqu'aux écuries, ils lancèrent leurs chevaux au grand trot dans la rue Saint-Antoine. Dans l'une de ses poches, Alix gardait les deux lettres découvertes chez Henri-Jules, qu'elle avait pris soin d'emporter. De son côté, dans la poche intérieure de son justaucorps, bien serrée contre son cœur, Antonin tenait une petite feuille de papier jauni, couverte d'une écriture maladroite et un peu effacée par endroits.

Le peintre qui avait transformé le portrait de Louise-Marie avait été assez habile pour faire son travail sans démonter le cadre du tableau, et la lettre, cachée là par la comtesse de Saint-Hymer, s'y trouvait encore.

Chevauchant côte à côte, Alix et Antonin échangèrent un tendre sourire et un regard complice. Enfin, ils possédaient cette preuve irréfutable et tant espérée!

– Chez le roi! s'écria Alix en lançant son cheval au galop.

55

Si la situation n'avait pas été aussi préoccupante, la scène qui se déroulait dans le grand salon vert et or du nouvel appartement de la duchesse de Fontanges aurait pu prêter à rire...

Le roi en majesté, portant une longue perruque brune et vêtu d'un habit grenat rebrodé d'or, trônait dans un fauteuil à haut dossier. La favorite se tenait debout auprès de lui.

Face à eux, Clémence, ayant troqué sa tenue de couventine contre une robe de cour, Alix en costume d'homme, couverte de poussière, et Antonin, non moins poussiéreux, muet de stupéfaction devant la métamorphose de sa cousine Clémence.

Un peu plus loin, Hamilcar, le perroquet d'Angélique, battait des ailes et se dandinait sur son perchoir doré. Fidèle à lui-même, il égrenait l'interminable chapelet de ses expressions favorites...

Le roi observait Clémence, sans doute étonné que cette enfant-là arrive tout droit d'un couvent.

En effet, toute postulante qu'elle fût, la jeune fille était à ravir dans une robe bleu azur. Quelques bijoux discrets, un peu de poudre, du fard à joues et à lèvres, et une ou deux mouches savamment disposées sur son joli visage complétaient ce charmant tableau.

Après une nuit passée à jouer à la bassette, y perdant comme à l'accoutumée de grandes quantités de pièces d'or, Angélique avait été réveillée un peu trop tôt à son goût. Elle portait un peignoir de velours mauve bordé de fourrure blanche avec des mules de satin assorties. Ses beaux cheveux blond vénitien lâchés, un peu en désordre, auréolaient son visage à la mine encore chiffonnée du bon tour que Clémence venait de lui jouer.

Alix et Antonin, quant à eux, étaient venus directement au château de Versailles. Ils étaient sidérés d'y avoir trouvé Clémence vêtue comme une princesse alors qu'ils la croyaient à l'hôtel de la Maison-Dieu en tenue de nonne.

Ce fut le roi qui mit fin à leur hébétude...

– Votre sœur vous ressemble d'une manière étonnante, Mademoiselle de Maison-Dieu ! dit-il en regardant Alix de la tête aux pieds. C'est à s'y méprendre ! Abstraction faite de la tenue vestimentaire, naturellement... Mais dites-moi ce qui vous amène.

– Sire, répondit-elle, la mission que vous avez eu la bonté de me confier est terminée et je viens vous en rendre compte.

– Fort bien. Je vous écoute.

– Les événements ne se sont pas du tout passés dans l'ordre prévu. Il me fallait débusquer un sorcier et lui faire avouer le nom de ses clients pour confondre le baron de Grenois. C'est finalement en cherchant la provenance du rubis retrouvé dans la mangeoire d'Hamilcar que j'ai été amenée à faire les macabres découvertes dont je vais maintenant vous entretenir.

Alix entama le récit de ce qu'elle avait vu

dans l'appartement du duc d'Esternay et donna
au roi les deux lettres qu'elle y avait trouvées.

— Voilà qui est nouveau! dit Louis XIV, le
sourcil froncé. J'ai longuement parlé avec votre
sœur avant que vous n'arriviez, mais elle ne m'a
rien dit de tout cela!

En effet, dans son récit Clémence n'avait
parlé que du cas de Léontine et de ses craintes
quant à la sécurité de Louis-Étienne, maintenant que le baron connaissait sa cachette. En
revanche, elle n'avait pas évoqué l'épisode des
mains de pendu, préférant laisser à sa sœur le
soin d'en informer elle-même le roi.

— Pourriez-vous me dire, Mademoiselle,
comment il se fait que vous vous intéressiez
tant à ce rubis?

Alix hésita un instant...

— J'ai cru reconnaître cette pierre, Sire. J'ai
peur qu'elle ne provienne d'un collier ayant
appartenu à ma famille, et qui a disparu dans
d'obscures circonstances.

Le roi ne répondit rien. Après avoir pris
connaissance des deux documents, il hocha la
tête et s'adressa à Antonin:

— Et vous, Monsieur, n'avez-vous rien à
m'apprendre?

– Sire, Alix et moi venons de retrouver la preuve que vous m'aviez demandée et qui concerne... le baron de Grenois, dit le jeune homme en remettant au roi la lettre retrouvée dans le cadre du tableau.

Après l'avoir lue, le roi se leva :

– Compte tenu des événements que mademoiselle Clémence m'a rapportés tout à l'heure, et qui me paraissaient déjà être de la plus extrême gravité, j'ai déjà donné l'ordre d'arrêter le baron de Grenois et de fouiller le logement qu'il occupe. Mais avant de le livrer à ses juges, j'ai l'intention de lui poser moi-même certaines questions.

Antonin baissa la tête, sentant s'abattre sur lui la honte et le déshonneur d'être le fils d'un assassin. Il eut une pensée pour sa grand-mère, qui avait, jusqu'alors, eu l'intelligence de le préserver de cette infamie.

À cet instant, on frappa à la porte, et le capitaine des gardes entra. Il annonça au roi qu'Henri-Jules avait été amené à l'endroit convenu et attendait le bon plaisir de Sa Majesté.

Le souverain se tourna alors vers Alix et Antonin :

– Je vous emprunte ces lettres. Elles me seront, je crois, d'une grande utilité. Je vous retrouverai ici dans un moment pour vous les rendre.

Sur ces mots, le roi remit son chapeau et sortit par la porte à double battant, que les gardes avaient largement ouverte.

56

– Sire! Je ne comprends pas! s'insurgea Henri-Jules. Me faire traverser le palais tout entier encadré par vos gardes comme un vulgaire tire-laine! Se pourrait-il que vous ayez quelque chose à me reprocher?

– On me dit, Monsieur, que vous étiez occupé à préparer votre bagage lorsque mes hommes sont entrés chez vous... disons plutôt chez le duc d'Esternay. Puis-je savoir où vous comptiez vous rendre?

– Est-ce un interrogatoire, Majesté?

– Les interrogatoires se pratiquent plus volontiers à l'ombre des murailles de la Bastille. Pour l'heure, nous sommes confortablement installés dans mon cabinet particulier, et il n'est pas question d'autre chose que d'une conversation entre amis.

Le baron connaissait bien le bureau de Louis XIV, où ils se retrouvaient tous deux assis dans d'immenses et moelleux fauteuils. Ils s'étaient souvent rencontrés dans cette partie très privée de l'appartement royal. C'était ici même qu'après un long plaidoyer Henri-Jules avait obtenu la lettre de cachet à l'encontre de Louis-Étienne, et un peu plus tard la charge qu'occupait Léonard à la cour. Cependant, en ce début d'après-midi d'automne pluvieux, le décor somptueux de la pièce lui parut bien terne. La pièce était peu éclairée, et les magnifiques dorures du plafond et des lambris ne flamboyaient pas comme à l'accoutumée. Le feu de cheminée ne parvenait pas à réchauffer la pièce, et une fumée légère flottait dans l'air, provenant d'une bûche encore humide qu'on avait voulu brûler. Le baron ressentit un étrange malaise. Cette atmosphère inhabituelle lui apparut soudain comme un funeste présage. Toutefois, fidèle à la ligne de conduite qu'il s'était fixée, il s'appliqua à ne rien laisser paraître. Son visage demeurait aussi impassible qu'à l'ordinaire.

— Je vous renouvelle ma question, insista le roi. Où comptiez-vous aller?

— Comme vous le savez, Majesté, répondit Henri-Jules d'une voix doucereuse, mon fils Léonard a très récemment obtenu une charge à la cour. Le voilà désormais installé au château, pour vous servir, et je ne lui suis plus d'aucune utilité. Il m'est donc venu à l'esprit que je pourrais aller me reposer quelque temps sur mes terres de Bourgogne, en mon château de Grenois. Voilà pourquoi, Sire, je rassemblais mes effets. De plus, j'ai estimé que rien ne me retenait ici, ayant renoncé à marier Léonard à sa cousine Alix de Maison-Dieu. Cette fille semble l'avoir en horreur et a toujours refusé ses avances. Vous me connaissez, Majesté, je ne suis pas homme à forcer une femme à se marier contre son gré! Mon fils et moi partageons les mêmes valeurs; aussi, depuis un certain temps, n'a-t-il plus cherché à revoir sa cousine, de peur de l'importuner.

— C'est sans doute au nom de ces grands principes que vous persécutez la marquise, votre belle-sœur, afin qu'elle vous épouse! De plus, je n'ai pas souvenir que vous ayez plaidé la cause de votre neveu et obtenu de moi sa libération.

— En aucune façon, Sire, je n'ai...

— Ce sont pourtant vos initiales qui sont tracées au bas de cette feuille, Monsieur le baron, le coupa le roi en lui tendant la lettre adressée à Catherine.

— Je n'ai jamais écrit cela, affirma le baron, l'air outré. À n'en pas douter, il s'agit d'un faux rédigé par je ne sais qui, dans le but de me compromettre.

— Vous avez donc des ennemis susceptibles de vous nuire à ce point? J'aimerais savoir ce qu'ils ont à vous reprocher!

— Sire, vous savez mieux que personne que la cour est remplie de gens prêts à tout pour être en faveur auprès de Votre Majesté! J'ai appris par quelques indiscrétions, mais de source sûre, que la charge que vous avez accordée à mon fils a suscité bien des jalousies.

— Admettons... Mais, alors, que direz-vous de ce placet qui, en son temps, a été déposé sur mon bureau par une personne de confiance et que l'on a retrouvé dans vos papiers personnels?

Le roi lui mit alors sous le nez la lettre écrite par Alix et Clémence pour lui demander audience.

– Tout ceci n'est que malveillance! s'écria le baron. Sire, je vous répète que l'on veut ma perte!

– Il y a une autre chose, dont j'aimerais vous entretenir... Il s'agit, si j'ose dire, d'une antiquité. Encore une lettre, mais cette fois, vieille de plus de quinze ans.

Sur ce, le roi sortit de sa poche une petite feuille de papier jauni.

– Reconnaissez-vous cette écriture, Monsieur le baron?

– Pas le moins du monde. Elle est d'ailleurs tout à fait illisible.

– En y regardant de plus près, on perçoit pourtant toute la détresse de celle qui a écrit cette lettre. Écoutez plutôt: «...*si personne ne vient me délivrer, mon mari m'aura tuée à force de coups...*» Cet appel au secours est signé Louise-Marie de Grenois, votre malheureuse épouse, morte deux semaines à peine après avoir envoyé ce pli à sa mère, la très respectable comtesse de Saint-Hymer.

Le baron resta calme, le visage figé, mais ne répondit pas.

— Je suis maintenant convaincu, reprit le souverain, que vous voulez faire disparaître le jeune marquis de Maison-Dieu.

— Quel serait mon intérêt?

— Porter le titre de marquis qui vous reviendrait d'office si votre neveu venait à mourir, attendu qu'il est encore jeune et n'a pas d'héritier... Hélas, Monsieur, je crains que votre voyage ne vous conduise pas aussi loin que vous l'aviez imaginé. Le fourgon que j'ai fait préparer à votre intention ne vous mènera pas en Bourgogne, mais à la Bastille.

Le baron se leva, l'air indigné.

— Sire, répliqua-t-il avec assurance, ne vous ai-je pas toujours servi avec la plus grande loyauté? N'avons-nous pas été réunis sur le champ de bataille à de nombreuses reprises? Pour vous, n'aurais-je pas donné ma vie? Comment pouvez-vous croire à de telles calomnies?

— Il y a, Monsieur, qu'on a retrouvé une officine de sorcier dans le logement que vous occupez. On y a découvert un grand nombre de mains de pendu. Voilà qui est accablant pour vous, car vous n'ignorez pas que de telles pratiques sont interdites. Mais vous avez raison. Au nom de tous nos souvenirs de soldats, je vais vous accorder une faveur. Au lieu de vous faire emmener sur l'instant en prison, je vous autorise à retourner chez vous, toujours sous bonne garde, pour prendre le bagage que vous avez préparé. Ensuite seulement, vous serez conduit à la Bastille. La lettre de cachet vous concernant est déjà entre les mains du capitaine des gardes. Adieu, Monsieur.

Laissant Henri-Jules planté au milieu de la pièce, parfaitement impassible, les yeux rivés sur le grand tableau représentant une scène de bataille placé au-dessus de la cheminée, le roi se dirigea vers la porte. Puis, se ravisant, il revint sur ses pas.

Le baron entrevit une lueur d'espoir... Sa Majesté avait-elle changé d'avis?

– Connaissez-vous ceci? demanda le souverain s'arrêtant face à Henri-Jules, qu'il dominait d'une tête au moins.

Entre le pouce et l'index, il tenait le rubis en forme de poire...

– Non, Sire.

Le baron avait répondu avec aplomb en regardant le roi droit dans les yeux. Mais une fois encore ses pupilles s'étaient dilatées sous l'effet de la surprise, et aussi de la peur. Le roi était maintenant certain qu'Henri-Jules avait menti sur tout.

– Pour l'heure, je n'ai rien d'autre à vous dire, fit le monarque. Vous reparlerez de toutes ces ignominies avec vos juges, ainsi que des mauvais traitements que vous avez très récemment infligés à une certaine Léontine, servante de la marquise de Maison-Dieu.

– Sire, je suis innocent! s'écria le baron avec un air offusqué.

– Nous verrons cela... Gardes, emmenez le prisonnier!

57

D'un pas décidé, le roi quitta son cabinet privé pour rejoindre Alix, Clémence et Antonin, qui attendaient son retour dans le grand salon d'Angélique. À sa grande surprise, il y trouva également la marquise. Quand le souverain entra, tous se levèrent et firent une révérence.

– Rrrrrrelevez-vous ! s'époumona le perroquet.

– Merci, Hamilcar, dit le roi.

Puis, s'adressant à Catherine, il ajouta :

– Ah, Madame ! Je suis fort aise de votre visite. Je vous en prie, asseyez-vous.

Il donna son chapeau à un valet et s'installa dans le fauteuil à haut dossier, qui semblait être réservé à son usage personnel.

— Vos filles m'ont tout raconté sur les agissements de votre beau-frère, et les preuves que j'attendais m'ont été fournies. Je viens d'avoir une longue conversation avec lui. Sachez, Madame, que le baron Henri-Jules de Grenois est désormais aux arrêts. Son laboratoire a été découvert et tout ce qu'il contient sera étudié en détail par la sorcière Marie-Marguerite Monvoisin. Il comparaîtra bientôt devant ses juges, et la lumière sera faite sur cette sinistre affaire. En ce qui me concerne, je suis convaincu de sa culpabilité. Je veillerai d'ailleurs personnellement à ce qu'il ait un procès loyal, et que sa punition soit à la mesure des crimes qu'il a commis. J'entends donner l'exemple à tous les mécréants du royaume en punissant aussi la noblesse lorsqu'elle le mérite. Le duc d'Esternay et son fils Charles seront également interrogés, et condamnés si cela s'avère nécessaire. Vous pouvez maintenant vous rendre aux glacières de Clagny et ramener le jeune marquis chez vous. Il est définitivement libre !

D'un même élan, les jumelles et leur mère se jetèrent aux pieds du roi pour le remercier.

– Rrrrrrelevez-vous !

– Vous vous répétez, Hamilcar ! lança le roi, amusé. Obéissez à cet oiseau, Mesdames, je vous en prie !

– Sire, que va-t-il advenir de Marie-Marguerite Monvoisin ? demanda Alix, soudain soucieuse.

– Vous comprendrez aisément qu'avec les lourdes charges retenues contre elle, je ne puisse la remettre en liberté. Toutefois, je n'oublie pas qu'elle a sauvé la duchesse de Fontanges...

Louis XIV s'interrompit pour couler un regard aimant à sa tendre amie.

– Je lui avais promis ma clémence si elle y parvenait, poursuivit-il. Aussi ai-je décidé de lui épargner le bûcher. Elle sera seulement maintenue en prison pour le reste de ses jours.

Il n'y avait rien à répondre à cela. Alix le savait et elle s'inclina de nouveau, en signe de remerciement.

Le roi tourna ensuite son regard vers Antonin, dont le visage était ravagé par le désespoir.

– Monsieur de Grenois, sachez que vous ne sauriez en aucun cas être tenu pour responsable des agissements de votre père. Si, comme je le crois, il est condamné par le tribunal, vous garderez votre titre, vos terres, votre blason, et surtout votre honneur.

À son tour, le jeune homme mit un genou à terre devant le roi.

— Rrrrrrelevez-vous !

Le souverain jeta un coup d'œil à Hamilcar et se contenta de soupirer.

Alix s'approcha en souriant du perchoir où se dandinait le perroquet. Elle le flatta, lui tendit la main pour qu'il pince ses jolis doigts et regarda dans sa mangeoire, où quelques pétales de roses rouges se mélangeaient aux graines. C'était bien là que, quelques jours auparavant, le roi avait trouvé le gros rubis taillé en forme de poire. Alix fut terriblement émue à ce souvenir. Cette pierre était tout ce qui restait du magnifique collier qu'elle avait, un soir, pu admirer pendant quelques instants dans son écrin de velours vert amande.

Elle retourna près de sa mère au moment où le roi lui montrait le rubis.

— Votre fille Alix suppose que ce joyau provient d'un bijou vous ayant appartenu, et aujourd'hui malheureusement disparu.

— Sire, comme Alix, j'en reconnais la forme, la taille et la couleur. Je puis vous affirmer que ce rubis se trouvait au centre d'un collier qui me vient de ma mère, qui elle-même le tenait de sa mère.

— En ce cas, Madame la marquise, permettez que je vous restitue votre bien. J'imagine qu'il s'agit d'un collier auquel vous étiez très attachée.

— En effet... Majesté...

Catherine avait répondu d'une voix brisée par l'émotion.

Le roi déposa alors le rubis dans le creux de la main de la marquise.

— Merci, Sire. Merci du fond du cœur...

Alix et Clémence ne purent retenir leurs larmes.

Leur mère, en revanche, affichait un sourire de soulagement.

— Ne soyez pas tristes, mes filles, dit-elle de cette voix douce qui avait toujours su consoler les jumelles. Certes, le collier est perdu ; mais, grâce à Sa Majesté, il nous en reste le plus beau des souvenirs.

– Vous devriez dire «grâce à Alix», rectifia le roi. Car, tout au long de cette affaire, elle a fait preuve d'une audace et d'un courage exemplaires. Savez-vous que je la considère comme la plus fine, la plus dévouée, en un mot la meilleure espionne que j'aie jamais eue à mon service?

– Une espiooooonne? Sapristiiiii! s'écria Hamilcar, qui suivait parfaitement la conversation.

– Merci, Majesté, balbutia Alix avec émotion.

– Allons, allons, Mesdames! Ressaisissez-vous! Aujourd'hui est un grand jour: le jeune marquis de Maison-Dieu est enfin libre, et il va reprendre sa place parmi les siens.

Puis, se tournant vers Antonin, qui ne quittait pas Alix des yeux, il ajouta:

– Monsieur de Grenois, emmenez donc votre cousine jusqu'aux glacières de Clagny. Il serait cruel de laisser le marquis y séjourner plus longtemps!

– À vos ordres, Sire! répondit le jeune homme.

– Garrrrrde à vous! renchérit le perroquet de sa voix nasillarde.

Antonin s'approcha d'Alix et, d'une caresse sur chaque pommette, il essuya délicatement ses larmes. Les deux jeunes gens saluèrent le roi ; Antonin prit la main de sa cousine et l'entraîna hors de l'appartement d'Angélique de Fontanges.

– J'en étais sûre ! s'écria Clémence. Je l'ai su dès le moment où je les ai vus ensemble, le jour où ils m'ont rendu visite au couvent.

La marquise, le roi et Angélique se souriaient d'un air complice...

Le regard qu'Alix et Antonin venaient d'échanger en sortant n'avait échappé à personne... pas même à Hamilcar, qui gratifia l'assemblée d'une de ses plus belles roucoulades :

– Rrrrrrrrrrr ! Les aaaaamoureux !

Découvre d'autres romans de la collection

35 kilos d'espoir
d'Anna Gavalda

Grégoire déteste l'école, si fort qu'en sixième il a déjà redoublé deux fois. Le seul endroit qu'il aime, son refuge, c'est le cabanon de son grand-père Léon, avec qui il passe des heures à bricoler. Quand Grégoire est renvoyé du collège, pourtant, Léon est furieux. Il renonce à consoler son petit-fils et lui refuse sa protection. Il est temps, peut-être, que Grégoire accepte de grandir...

Pour tout l'or du monde
de Jean-Marie Defossez

David vit avec ses parents au bord d'un lac cerné par des bois. À l'école, il passe pour un idiot parce qu'il a déjà plusieurs années de retard, ce qui fâche beaucoup son père. Rêveur, incapable de se plier aux règles scolaires, le garçon n'est heureux que dans sa forêt, avec les oiseaux et le vent. Lorsqu'il découvre au grenier les outils de bûcheron de son grand-père, David passe des après-midi entiers à restaurer l'ancienne clairière qui appartenait à son aïeul. Il taille, coupe des troncs et les aligne soigneusement, espérant ainsi que son père sera enfin fier de lui. En vain... Puis un jour, il rencontre un chien-loup, et cette rencontre va changer sa vie et ses relations avec son père.

Marcia vous maquille
de Claudia Mills

Traduit de l'anglais (États-Unis)
par Sidonie Van den Dries

Marcia Faitak a passé des vacances pourries, allongée dans un transat, une cheville dans le plâtre, à manger des chips à longueur de journée. Elle va retourner au collège avec trois kilos en trop ! La honte ! Qu'en pensera Alex Ryan, l'élu de son cœur ?

Et voilà que Mme Williams annonce à ses élèves qu'ils devront s'impliquer dans un projet d'intérêt public. Catastrophe ! Marcia est envoyée dans une maison de retraite pour y maquiller les vieilles dames...

*Cet ouvrage a été composé et mis en pages
par DV Arts Graphiques à Chartres*

Impression réalisée par

*La Flèche
en janvier 2013*

Imprimé en France
N° d'impression : 71914